【Web動画サービスに関するご案内】

本書に掲載されている内容の一部は，南江堂ホームページにおいて動画として閲覧いただけます．

  https://www.nankodo.co.jp/secure/9784524202386.aspx

パスワード：

　ご使用のインターネットブラウザに上記URLを入力いただくか，上記QRコードを読み込むことにより
メニュー画面が表示されますので，パスワードを入力してください．ご希望の動画を選択することにより，
動画が再生されます．なお，本Web動画サービスについては，以下の事項をご了承の上，ご利用ください．

- 本動画の配信期間は，本書最新刷発行日より5年間をめどとします．ただし，予期しない事情により
  その期間内でも配信を停止する可能性があります．
- パソコンや端末のOSのバージョン，再生環境，通信回線の状況によっては，動画が再生されないことが
  あります．
- パソコンや端末のOS，アプリの操作に関しては南江堂では一切サポートいたしません．
- 本動画の閲覧に伴う通信費などはご自身でご負担ください．
- 本動画に関する著作権はすべて日本内視鏡外科学会にあります．動画の一部または全部を，無断で複製，
  改変，頒布（無料での配布および有料での販売）することを禁止します．

内視鏡下縫合・結紮手技トレーニング

改訂第2版

監修 日本内視鏡外科学会教育委員会
編集 黒川良望 笠間和典 内藤 剛

Web動画付

南江堂

■ 監　修
日本内視鏡外科学会教育委員会

■ 編　集
黒川　良望　　四谷メディカルキューブ
笠間　和典　　四谷メディカルキューブ減量・糖尿病外科センター
内藤　剛　　　北里大学下部消化管外科

■ 執　筆（執筆順）
森　俊幸　　　佼成病院外科
吉田　和彦　　東京慈恵会医科大学葛飾医療センター外科
松田　年　　　旭川キュアメディクス
瀧口　修司　　名古屋市立大学消化器外科
安藤健二郎　　医療法人ライヴズ　仙台内視鏡手術研究所
磯部　真倫　　岐阜大学産科婦人科
笠間　和典　　四谷メディカルキューブ減量・糖尿病外科センター
寺地　敏郎　　古賀病院21泌尿器科
内藤　剛　　　北里大学下部消化管外科
内田　一徳　　五日市記念病院消化器・内視鏡外科
金尾　祐之　　がん研有明病院婦人科
金平　永二　　メディカルトピア草加病院
小澤　佑　　　板橋中央総合病院泌尿器科
青木　啓介　　板橋中央総合病院泌尿器科
吉岡　邦彦　　板橋中央総合病院泌尿器科
関　洋介　　　四谷メディカルキューブ減量・糖尿病外科センター
稲木　紀幸　　金沢大学消化管外科
稲嶺　進　　　大浜第一病院内視鏡外科
木下　敬弘　　国立がん研究センター東病院胃外科
梅澤　昭子　　四谷メディカルキューブ外科
三塚　裕介　　東京医科大学消化器・小児外科学分野
永川　裕一　　東京医科大学消化器・小児外科学分野
今村　清隆　　四谷メディカルキューブ外科
岩﨑　正之　　東海大学呼吸器外科
中平　伸　　　大山記念病院外科
槇山　和秀　　横浜市立大学泌尿器科
棚瀬　康仁　　国立がん研究センター中央病院婦人腫瘍科

第1版の序

　最近30年の内視鏡外科の発展は新しい医療機器の開発が支えとなっているが，一方で手作業の宿命として，外科医個人の基本手技の習得と術式の標準化が基盤となっている．つまり1990年代初頭，それまでメス，ピンセットやメッツェンを用いて手術をしていた外科医にとって，内視鏡外科の出現は新たなテクニックの習得を必要とした．急速な腹腔鏡下胆嚢摘出術の普及を支えたのが，米国で数多く開催された動物を使ったトレーニングプログラムである．このような初期の講習を受けた"第一世代"は臨床経験を積み重ねる中で，ラーニングカーブを描きながら成長するとともに，手術操作を片手から両手で行うようになり，縫合・結紮操作も習得して，いわゆる"advanced surgery"を開発していくことになる．機能を特化した持針器や針受け鉗子も発売され，オープンサージャリーで行われていたのと同様の結紮や手縫い縫合・吻合が紹介され，次第にその習得の重要性が認識され始めた．

　そのような時期にあった2005年3月にスタートした，日本内視鏡外科学会が主催する内視鏡下縫合・結紮手技講習会は，本年2016年3月までに150回開催され，受講者は3,000人を超えた．トレーニングボックスを用いたトレーナーによる直接指導で縫合・結紮手技の基本動作を教習することにより，内視鏡手術の基礎となるhand-eye coordinationや両手の協調運動を習得することを目的とした．

　本書の構成はこの講習会で使用したテキスト内容をベースにし，詳細な説明を加え，さらに講習会では十分に説明しきれなかった消化器外科を中心とした臨床動画を加えて，縫合・結紮のコツをエキスパートに解説していただいた．講習会修了者には臨床応用の参考に，熟練者にも自身の方法と比較をしながらより安全確実な手技の開発の契機としていただきたい．

　10年以上にわたる縫合・結紮手技講習会の事業継続を支えた大きな要素に，日本内視鏡外科学会教育委員会メンバーを中心にしたコーディネーター・インストラクターの，本練習方法の普及と実践が内視鏡外科の底上げに繋がるという信念がある．本書各項解説の担当もそのメンバーが中心となっている．各分担執筆者には本書執筆に加え，長年にわたる教育委員会事業への貢献に対し深く感謝いたします．

2016年6月吉日

日本内視鏡外科学会教育委員会 委員長
黒川良望

第2版の序

　1980年代後半から内視鏡外科が開始され，30年以上の時が過ぎ，ロボット支援手術へと発達を遂げた．その間の医療機器の開発は目覚ましく，外科学の変化・発展に大きく寄与した．しかし，開腹手術の時代から現在の手術まで，外科手術の基本は一貫して，適切な術野の確保，剝離，切離，縫合・結紮であることは変わりがない．様々なデバイスにより剝離，切離は簡便に行えるようになってきたが，依然として縫合は針と糸を使った手作業であり，修練を必要とする操作であることが多い．

　2005年より日本内視鏡外科学会が主催する内視鏡下縫合・結紮手技講習会は，2023年までに222回行われ，のべ5,300人を超える受講者が参加した．トレーニングボックスを用いたトレーナーによる直接指導で縫合・結紮手技の基本動作，内視鏡手術の基礎となる理論とhand-eye coordination，両手の協調動作などを習得し，さらに高度な運針や吻合のための練習方法などを習得することを目的としている．2020年に世界を襲った新型コロナウイルス感染症の影響により，同講習会の開催が不可能となったため，新たに遠隔での講習会も開始された．本書は同講習会での練習内容を網羅し，さらに講習会では十分に説明できなかった縫合・結紮手技のコツを講習会の講師を務めた先生方を中心に解説いただいた．

　当時の日本内視鏡外科学会教育委員長であった黒川良望先生の編集で作成されていた第1版に引き続き，本第2版は黒川先生のご指示のもと，同講習会コーディネートを担当する理事である笠間・内藤の両名が編集に加わり，ロボット支援手術での縫合など近年新たに必要となった技術に加えて，遠隔でのトレーニングの方法，縫合・結紮の技術を用いないと危機を回避することができないときのトラブルシューティングなどにも言及した．多くの技術をWeb動画によって閲覧することができるので，ぜひ動画もご覧いただきたい．

　日本内視鏡外科学会の内視鏡下縫合・結紮手技講習会は世界的にも類を見ない長い歴史をもつ系統的な縫合・結紮手技講習会であり，日本内視鏡外科学会が世界に誇れるものの1つである．これを支えていただいたのは，歴代のコーディネーター，インストラクターの教育への情熱と信念であり，またご協力をいただいた事務局や企業のおかげでもある．

　この序文をもって，上記の方々への感謝の意を表明いたします．

2023年12月吉日

日本内視鏡外科学会 理事

笠間和典，内藤　剛

目次

▶：関連動画が Web ページに収載

Chapter I　トレーニングに入る前に——内視鏡下縫合・結紮の基本概念

- A. 定義，用語 ……………………………………………………… 森　俊幸　2
- B. 縫合・結紮の準備 ……………………………………………… 吉田和彦　7
- C. 縫合・結紮の基本操作（▶動画1〜8） ……………………… 松田　年　12

Chapter II　縫合・結紮手技トレーニング

- A. トレーニングの流れ …………………………………………… 瀧口修司　22
- B. 到達度評価 ……………………………………………………… 瀧口修司　25
- C. トレーニングボックスの使い方 ……………………………… 安藤健二郎　27
- D. マルチエンドボックスを用いたリモートトレーニング（▶動画9）　磯部真倫　32
- E. トレーニングの実際 …………………………………………… 36
  - 1. 針の把持と運針の基本（▶動画10） ……………………… 笠間和典　36
  - 2. 専用シート（Step'n Step シート）を用いた結紮トレーニング
    （▶動画11〜18） ……………………………………………… 寺地敏郎　40
  - 3. 糸結び，縫合 ……………………………………………… 44
    - a. square knot/surgeon's knot …………………………… 44
      - ①基本手技（▶動画19・20） ………………………… 内藤　剛　44
      - ②thumbs up 法（▶動画21〜24） …………………… 内田一徳　48
      - ③P-loop 法（▶動画25） ……………………………… 金尾祐之　50
    - b. slip knot 法（▶動画26） ……………………………… 内藤　剛　53
    - c. overwrap/underwrap（▶動画27） …………………… 内藤　剛　56
    - d. 連続縫合（▶動画28・29） …………………………… 金平永二　57
    - e. loop 法および体外結紮法（▶動画30〜33） ………… 安藤健二郎　60
- F. ロボット支援手術における縫合・結紮操作練習（▶動画34〜44）
  ……………………………………………… 小澤　佑，青木啓介，吉岡邦彦　66

Chapter III　実臨床での縫合・結紮

A. 領域別・術式別の縫合・結紮 ……………………………………………………… 74
1. 消化器外科領域における縫合・結紮の実際 ………………………………… 74
　　a．潰瘍穿孔に対する手術（▶動画45）――――――――――――松田　年　74
　　b．噴門形成術（▶動画46・47）―――――――――――――――関　洋介　77
　　c．幽門側胃切除後再建（▶動画48〜53）――――――――――稲木紀幸　84
　　d．食道空腸吻合 ………………………………………………………………… 90
　　　1 腹腔鏡下手縫い吻合（▶動画54〜56）――――――――――稲嶺　進　90
　　　2 自動縫合器挿入孔の閉鎖（▶動画57）―――――――――木下敬弘　94
　　e．胃部分切除後の縫合閉鎖（▶動画58）――――――――――木下敬弘　98
　　f．胃切除後の内ヘルニアの予防（▶動画59）――――――――木下敬弘　102
　　g．胃腸吻合：腸管手縫い吻合（▶動画60・61）―――――――笠間和典　105
　　h．胆嚢管縫合，胆管縫合（▶動画62〜64）―――――――――松田　年　108
　　i．胆管・胆嚢管切開部の縫合（▶動画65〜67）―――――――梅澤昭子　112
　　j．胆管空腸吻合，膵空腸吻合（▶動画68・69）―――三塚裕介，永川裕一　114
　　k．TAPP法の腹膜閉鎖（▶動画70〜72）――――――――――内田一徳　118
　　l．腹壁瘢痕ヘルニア縫合閉鎖（▶動画73〜75）―――――――今村清隆　119
2. 泌尿器科領域における縫合・結紮の実際（▶動画76〜79）――寺地敏郎　124
3. 婦人科領域における縫合・結紮の実際（▶動画80〜82）―――金尾祐之　127
4. 呼吸器外科領域における体外結紮法（▶動画83）――――――岩﨑正之　132

B. 応用：特殊な状況における縫合・結紮 ……………………………………………… 135
1. ワーキングスペースが狭い状況での縫合・結紮（▶動画84〜86）
　　　――――――――――――――――――――――――――金平永二　135
2. トラブルシューティング（止血縫合など）――――――――――――― 139
　　a．消化管手術（▶動画87・88）―――――――――――――木下敬弘　139
　　b．肝胆膵手術（▶動画89）―――――――――――――――中平　伸　142
　　c．泌尿器科手術（▶動画90・91）――――――――――――槙山和秀　145
　　d．婦人科手術（▶動画92〜96）――――――――――――棚瀬康仁　148

索　引 …………………………………………………………………………………… 153

Web動画付録　内視鏡下縫合・結紮時の手元の動き　　　　　　関　洋介

1. 針の把持
    - ①針の先端を持って，針の角度を変える（▶動画97）
    - ②糸を引っ張り，針の角度を変える：順針（▶動画98）
    - ③糸を引っ張り，針の角度を変える：逆針（▶動画99）
    - ④片手での把持（▶動画100）
2. square knot・surgeon's knot
    - ⑤C-loop法によるsquare knot（▶動画101）
    - ⑥匍匐前進法によるsquare knot（▶動画102）
    - ⑦surgeon's knot：左手軸（▶動画103）
    - ⑧surgeon's knot：右手軸（▶動画104）
    - ⑨thumbs upテクニックによるsurgeon's knot（▶動画105）
3. slip knot
    - ⑩square knotからslip knotへのconversion（▶動画106）
    - ⑪組織の緊張が高い場合（▶動画107）
    - ⑫直接slip knot法（▶動画108）
4. overwrap/underwrap
    - ⑬右手軸（▶動画109）
    - ⑭左手軸（▶動画110）
5. 連続縫合
    - ⑮順針（▶動画111）
    - ⑯逆針（▶動画112）
    - ⑰巾着縫合（▶動画113）

Chapter I

トレーニングに入る前に―内視鏡下縫合・結紮の基本概念

A 定義，用語

　内視鏡下縫合・結紮は内視鏡外科手技上の必要性ばかりでなく，両手協調動作の効果的な訓練法としても重要である．日本内視鏡外科学会教育委員会は効率のよい縫合・結紮技術習得を目的として内視鏡下縫合・結紮手技講習会を開催してきた．当初は講師間でも定義や用語の使用法に差異があったが，次第に手技に関するコンセプトやテクニカル用語の統一，効率的教授法などについてのコンセンサスが得られてきた．本書はこのようなコンセンサスに基づく講習内容をテキスト，動画にまとめ，各自施設での練習時に参考となるよう企画されたものである．本書の内容理解には縫合・結紮のセットアップや機器の名称，テクニカル用語の理解が不可欠である．本項では各章に共通する定義や用語について述べていきたい．

■ 縫合，結紮

　結紮とは，身体の一部（血管や尿管などの管腔構造を有する臓器が多い）を縫合糸で縛って内腔を閉鎖させる行為のことである．またドレーンなどの医療機器を縫合糸で縛って固定する行為も結紮と呼ぶ（縫合固定）．また結び合わされた糸の絡みも結紮と呼ぶ．一方，縫合とは離れた組織を縫い合わせる行為を指し，特に，外科手術で組織接合のために縫合糸を用い，組織の連続性を作成する行為である．この2つの用語に相当する英単語は多く，その語源や慣用表現などにより語感や意味が異なるが，本邦では本来とは異なるニュアンスで使われるケースも多い．よく用いられる用語の外科手技に関連する部分を概観する．

- suture

　①a strand of fiber used to sew parts of the living body. ②the act or process of sewing with sutures. Anglo-French 'sutura' に由来する中英語．生体を縫い合わせるという語感．

- stitch

　①one in-and-out movement of a threaded needle in sewing, embroidering, or suturing. ②a portion of thread left in the material or suture left in the tissue after one stitch. Old English 'stice' に由来する中英語．初出は12世紀．動作とともにそこに残された縫合材料を想起させる単語．

- tie

　①to fasten or secure with or as if with a cord, rope, or strap. ②to fasten by drawing together the parts or sides and knotting with strings or laces. 12世紀以前初出の中英語 Old English 'teog'（pull）に由来．糸状の材料を用い引き寄せるという語感．

- knot

　①an interlacement of one or more flexible bodies forming a lump or knob（as for fastening or tying together）. 名詞としては12世紀以前初出の中英語．Old German 'knoto' に由来．動詞としては1547年初出．糸やロープの絡まった結び目という語感．

- ligature

　①something that is used to bind specifically: a filament（such as threads）used in surgery. ②an action of binding or tying: the ligature of an artery. 14世紀初出の中英語．ラ

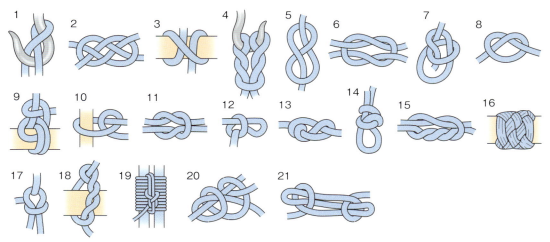

図1　knotの種類

1：Blackwall hitch，2：carrick bend，3：clove hitch，4：cat's-paw，5：figure eight，6：granny knot，7：bowline，8：overhand knot，9：fisherman's bend，10：half hitch，11：square knot，12：slip knot，13：stevedore knot，14：true lover's knot，15：surgeon's knot，16：Turk's head，17：sheet bend，18：timber hitch，19：seizing，20：rolling hitch，21：sheepshank

[Dictionary of Merriam-Webster<https://www.merriam-webster.com/dictionary/knot>（2023年6月閲覧）より引用］

テン語'ligare'（bind）の過去分詞'ligatus'から派生した'ligatura'に由来．名詞'ligation'は1597年，動詞'ligate'は1599年初出の派生語．当初より外科学での操作を前提とした語感．

- hitch

　結紮法の説明時によく使われる．ヒッチハイクのヒッチであり，原義は引っ掛ける，引き寄せるである．口語としてany of various knots used to form a temporary noose in a line or to secure a temporary to an objectの意で用いられ，結紮仕掛かり中の糸の絡みという語感．

knotの名称

　組織固定や管腔臓器閉鎖は，縫合材料でknotを作成することにより保持される．結紮（knot）には多くの報告がある（図1）．外科で主に用いられるのはoverhand knot［8（以下，図1内の番号）］やhalf hitch（10）を繰り返し，square knot（11）やgranny knot（6）にしていく操作や，最初のhitchを2回潜らせて，その後にsquare knot方向のhalf hitchを加えるsurgeon's knot（15）などである．また体外でknotを作成し，ポートを通じそれを体内に送り込みtyingを行う方法には，fisherman's bend（9）の他にRoeder knotやWestin knotなどの手法がある．

片手法と両手法

　本書で述べられるように，糸結びには，hitchのたびに糸を持ち替える両手法と，一方の糸を片方の鉗子で保持し続ける片手法がある．片手法ではoverwrap法とunderwrap法（図2：☞Chapter Ⅱ-E-3-c参照）を繰り返すことにより，knotの捩れが解消し，knotがsquare knotとなる．

A 定義，用語

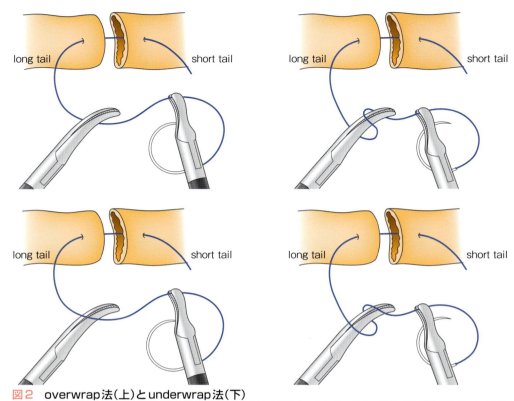

図2　overwrap法（上）とunderwrap法（下）
［日本内視鏡外科学会教育委員会：内視鏡下縫合・結紮手技講習会資料より引用］

糸結びの場所

　本書では多くの章で体腔内で糸結びを行う体腔内結紮法（intracorporeal knot tying）を解説している．技術的には体腔内結紮法が基本であり，最も汎用性が高い．しかしながら実臨床においては，長い縫合糸を用い，縫合後トロッカーを通じて縫合針を体外に取り出し，体外で糸結びを行い，この結び目をノットプッシャーなどにより再び術野に送り込む方法も用いられる（体外結紮法：extracorporeal knot tying）．体外結紮法はテンションの掛かった組織の縫合にも応用可能であり，習得すべき手技である．また組織断端の結紮には，カウボーイの投げ縄状に最初からループとなっている縫合材料を用いることがある．このループは締め込む方向にしか可動性がなく，いったん締めたら緩まない糸結び（Roeder knotなど）により作成されており，エンドループ®（ジョンソン・エンド・ジョンソン社）といった商品名で市販されている．また，この目的に合致した糸結びが数種類あり，長い縫合糸を用いて自作することもできる[1]（☞Chapter Ⅱ-E-3-e参照）．

術者，ポートの位置

　内視鏡手術における糸結びは両手の協調動作を要求する複雑な動作である．Chapter Ⅰ-Cでも詳述されるが，複雑な動作が必要な場合はco-axialなセットアップにすると術者感覚と実際の操作のズレが最も少ない（hand-eye coordination：図3a）．しかしながら近年の胃や結直腸に対する腹腔鏡下手術ではカメラポート，術野，モニターを結ぶ線の片側から術者が操作し，その反対側から助手の鉗子が挿入されるpara-axialなセットアップ

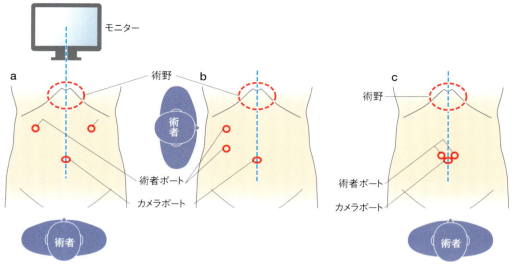

図3　内視鏡下縫合・結紮のセットアップ

a：co-axialセットアップ：術者，スコープポート，術野，モニターは直線上に位置し，ワーキングポートはこの軸の左右に配置される．術野ではこの軸と鉗子に30〜60°の角度があるとhand-eye coordinationがよい（triangular formation）．

b：para-axialセットアップ：胃・結直腸手術などでは，para-axialセットアップが標準となっている．止血操作などでときにpara-axialセットアップでの縫合・結紮が必要となる．

c：単孔式手術：単孔式手術ではco-axialセットアップは可能であるが，triangular formationの原則が守られていない．技術的に難度が高いが，ときに縫合・結紮が必要となるため，屈曲鉗子の使用やthumbs up法，P-loop法などのテクニックを学ぶ必要がある．

が標準術式となっている．このような場合には，セットアップを変更せずpara-axialセットアップのまま縫合・結紮が行われることがあるので，日頃から慣れておく必要がある（図3b）．また単孔式手術でも縫合・結紮が必要となることがある．単孔式手術ではいわゆるtriangular formationがなく，鉗子間の角度が鋭角のまま糸結びを行う必要がある（図3c）．このような場合にはthumbs up法（☞ Chapter Ⅱ-E-3-a-2参照）やP-loop法（☞ Chapter Ⅱ-E-3-a-3参照）が有用である．

器具類

内視鏡下縫合・結紮では専用の持針器（needle grasper/driver/holder）と補助鉗子（assisting needle holder/forceps）を用いる．持針器は縫合針の把持力や操作性から専用のものを用いる必要があるが，補助鉗子はメリーランド鉗子などで代用できる．内視鏡手術用の持針器はハンドルと先端のjawの間が一定の太さ（通常5 mm）のシャフト状である必要性から，ワイヤーアクション構造となっている（図4a）．手元ハンドルには種々の形状のものが市販されているが，眼科手術に用いられる同軸ハンドル（inline handle）の一種であるカストロビエホ持針器（Castroviejo needle holder）を内視鏡手術のために改良したものが広く用いられている（図4b）．内視鏡手術では，持針器のjawの形状や把持面の溝の切り方，さらにはバネの強さやラチェットの構造，ラチェットの外しやすさなども作業効率に大きな影響がある．jawには直線のものと弯曲を有するものがあるが，弯曲を有するものの方が汎用性がある．弯曲したjawではその凸側をコンベックス（convex），凹側をコン

A 定義，用語

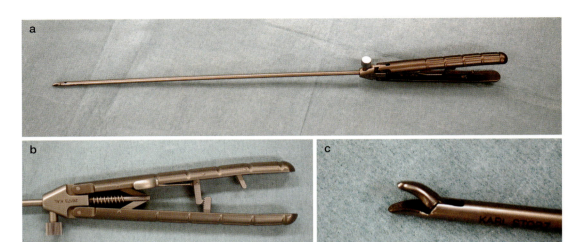

図4 持針器
a：全体像（ワイヤーアクション構造），b：ハンドル，c：jawの凸側がconvex，凹側がconcave

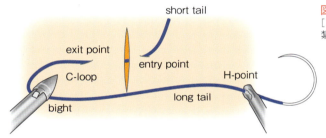

図5 縫合部の名称
［日本内視鏡外科学会教育委員会：内視鏡下縫合・結紮手技講習会資料より引用］

ケーブ（concave）と呼ぶ（**図4c**）．また把持面の溝はいわゆるダイヤモンドカットになっているものの方が汎用性が高い．

縫合材料の名称

　トロッカーを通じて縫合材料を体腔内に入れる際には，縫合針そのものではなく，針と糸の付着部から2cm程度の糸を把持する．この把持部分をholding point（H-point）と呼ぶ．体腔内で縫合針の向きを整え，持針器で針を把持し（needle mounting），正確に縫合針を組織に刺入し，針のカーブに沿い縫合針を抜いていく（needle driving）．針の刺入点はentry point，抜去点（導出点）はexit pointと呼ぶ．再び右手持針器でH-pointを把持し，縫合糸をさばいていく．針側の糸をlong tail（long end），反対側をshort tail（short end）と呼び，long tailをアルファベットのCのようにたわませる（C-loop）．C状にたわませた縫合糸をbightとも呼ぶ（**図5**）．

文　献
1) 橋本佳和ほか：手術の基本手技Ⅱ．内視鏡手術編：縫合・結紮．消外 38：455-467, 2015

B 縫合・結紮の準備

▎縫 合 針(図1)

　縫合針の目的は，組織を接合するために縫合糸を導くことである．運針に応じて，縫合針のポイント・弯曲・長さが決定される．内視鏡下の縫合に際しても，開腹・開胸の手術の原則が踏襲される．しかし，てこの原理により針先に過度の張力が掛かる，針の取り回しに制限がある，あるいはポートサイズに応じて針の大きさが制限される，などの内視鏡下での特殊性を考慮する必要がある．ポイント(針先)とスウェッジ(糸との接合部)は鋼材が薄いため，過度の張力が掛かると折れやすい．不幸にして針折れした場合には，針のロストに通じるので，針を把持・回転する際には，細心の注意を要する．

- スウェッジ(糸との接合部)

　内視鏡下の縫合・結紮に際しては，無傷針(糸付針)を使用する．針が容易に外れるコントロールリリース(CR)やデタッチ(D・Tach)は，針のロストを生じやすいので，使用しない．

- ポイント(針先)の形状

　内視鏡下の縫合に際しては，丸針を選択することが多い．丸針は組織損傷は少ないものの，組織を通過するときの抵抗が大きい．内視鏡下の縫合に際しては，開腹や開胸での縫合以上に，弯曲に沿った運針が求められる．角針はほとんど用いられない．

- 弯　曲(図2)

　組織の再接合を行う際に重要なことは，縫合すべき層の選択と縫合に含まれる組織の量である．これらの判断を正確に行うにはすくい上げる動作が必要なので，弯曲を有する縫合針が望ましい．

　直針の使用は組織がフラップ状になっている場合に限られる．内視鏡手術用に，弧状の先端部と直線状の尾部を有するスキー針が開発されたが，狭い術野での取り回しが煩雑なことなどにより，適用は限られる．

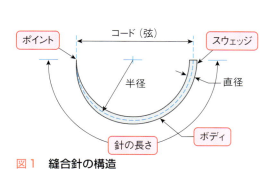

図1　縫合針の構造

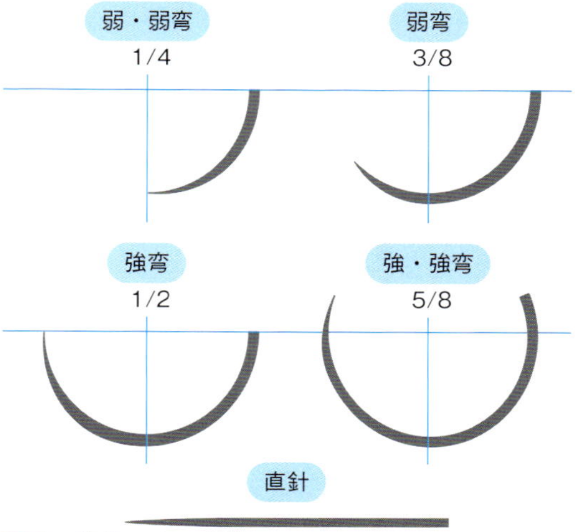

図2　弯曲による分類

B　縫合・結紮の準備

表1　ポートサイズと針の大きさ（*ジョンソン・エンド・ジョンソン社規格，**メドトロニック社規格）

ポートサイズ	針の長さ
5 mm	17 mm（RB-1*, CV-23**）
11/12 mm	17 mm（RB-1*, CV-23**），22 mm（SH-1*, CV-25**），26 mm（SH*, V-20**），36 mm（CT-1*），37 mm（GS-21**）
ポートの閉鎖	5/8 circle（27 mm UR-6*, GU-46**），

　内視鏡下の縫合に際しては，弱弯（3/8 circle）や強弯（1/2 circle）などの弯曲針が一般的に用いられる．

　一方，10〜12 mmのポートサイトの閉鎖に際しては，ヘルニアを予防する目的で，狭くて深い部位をしっかりと縫合閉鎖する必要がある．強・強弯（5/8 circle）はポートサイトの筋膜縫合において運針を行いやすい．最近，ポートサイトヘルニアの発生が問題となっているが，内視鏡下にポートサイトを縫合するデバイスが複数上市されている［エンドクローズ（メドトロニック社）など］．肥満度の高い患者，あるいは糖尿病などの創傷治癒を遅延させうる併存疾患を有する患者に対しては，これらのデバイスを積極的に用いるべきである．

- 大きさ（針の長さ）

　内視鏡下の縫合・結紮に際しては，ポートへ挿入可能な縫合針の大きさと弯曲を考慮する必要がある．**表1**に，内視鏡手術に汎用される主な針の長さを示す．

縫 合 糸

- 素材（天然or合成），生体内変化（非吸収性or吸収性），形状（モノフィラメントor編み糸），色

　縫合糸の選択の原則も，開腹や開胸の手術に準拠する．しかし，内視鏡下の結紮に際しては，てこの原理により張力が強まるので，開腹・開胸で用いる縫合糸より1サイズ太い糸が推奨される．

　素材としては，絹糸以外はすべて合成糸である．長時間にわたる組織保持力を必要とする部位には非吸収糸が適用される．しかし，縫合の大部分には，一定期間の抗張力を保持することを目的とした吸収糸が用いられる．

　近年，通過性に劣る編み糸には糸自体にコーティングが施され，一方モノフィラメントには糸表面を加熱融解処理して柔軟性を増すなど，各々の欠点は改善されつつある．内視鏡下の結紮は緩みやすく，surgeon's knotやslip knotが多用されるので，ロックしやすい太めの編み糸が推奨される．一方で，モノフィラメントを用いて，二度目の結紮で締め込むという選択肢もある．

　内視鏡下での縫合糸の視認性も考慮する必要がある．白色や空色の合成糸は視認性がよく，縫合糸を拾い上げるような動作の際のエラーが減ずる．

- 長さ（体外結紮，体腔内結紮）

　体外結紮の場合は，両端針の縫合糸（75〜120 cm長）の片端針を落として使用する．ジャミングロープ，Roeder knot, half knotなどのknotを体外で作り，体腔内へノットプッシャーなどで誘導する．繊細な結紮には不向きなため，一般的にはラフな結紮に適用される．滑りのよい太めの糸が用いられることが多い（**図3**）．

　体腔内結紮の場合には，器械出し看護師に依頼して，縫合糸を8〜15 cm（12 cm程度）

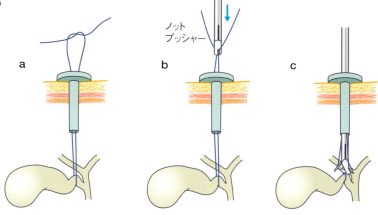

図3 ノットプッシャーを用いた体外結紮(half knot)

にあらかじめ切っておいてもらうと手技がスムーズに進む．小児の場合は短めに，また連続縫合を行う場合には縫合の長さにもよるが18 cm以上が目安となる．

- barbed suture糸(有棘縫合糸)

  barbed suture糸(V-Loc：メドトロニック社，Quill：Surgical Specialties社など)は，結び目を作らず組織を接合できるという利点はあるが，一方で，縫い直しがきかないため，局所の損傷や周囲の構造物への誤操作を生じると修復が極めて困難になるという欠点を有する．

持針器，受針器

縫合・結紮は，利き手に運針可能な「持針器」，他方の手に運針が困難な「受針器」としての補助鉗子を持って行うこともあれば，両手に「持針器」を使用することもある．「持針器」「受針器」という用語は特定の用具を指すというより，むしろ縫合・結紮の際の用具の機能を表す用語としてご理解いただきたい．

- 持針器

  内視鏡下で弯曲針を用いた縫合，あるいは体腔内結紮を行うには，持針器の回転動作が重要であり，回転動作が容易なペンホルダー把手を有する持針器が一般的になった．また，縫合針や糸の取り扱いを容易にする目的で，持針部はスプーン状の弯曲を与え，ダイヤモンドチップが備えられているものが多い．

  SZABO-BERCIニードルホルダー"オウム型ダイヤモンドジョウ"は，長年，microsurgeryの指導に携わってきたSzabo先生が，Berci先生の助言のもと，カストロビエホ持針器に近いergonomicsを追求して作った持針器である(図4)．

  最近では，針の把持力が強い，KOHマクロニードルホルダーなどが多用されている(図5)．先端は，straight，curved to left(基本的には右手用)，curved to right(基本的には左手用)があり，好みに応じて選択できる．また，KOHマクロニードルホルダーはラチェット機構を外すことも可能で，結紮時の糸の挫滅を防ぎたい場合などには，ラチェット機構を外すこともできる．結紮でoverwrap/underwrapを多用する場合には，straightの先端が選ばれることが多い．

  内視鏡下での縫合は，てこの原理により針先に大きな力が掛かるので，運針時には針先がそれることが多い．基本的には，縫合針のスウェッジ部から針先までの距離の1/3～1/2

B 縫合・結紮の準備

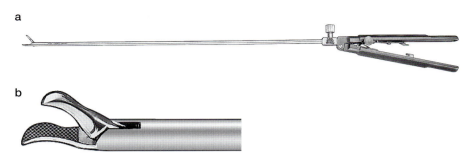

図4 SZABO-BERCIニードルホルダー"オウム型ダイヤモンドジョウ"(a)とその先端(b)
［カールストルツ社資料より引用］

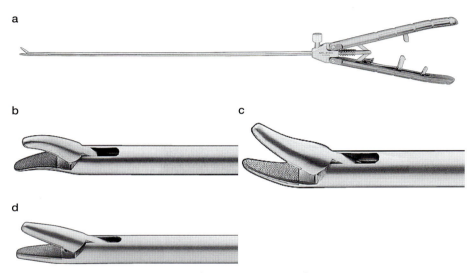

図5 KOHマクロニードルホルダー(ストレートハンドル)
a：全体像，b：先端(jaws curved to left)．基本的には右手用，c：先端(jaws curved to right)．基本的には左手用，d：先端(jaws straight)

［カールストルツ社資料より引用］

の部分の針を直角に，加えてラチェットを最大限に用いてしっかりと把持する．縫合針の持針器に対する角度はカメラに近づける，あるいは持針器を回転することで確認できる．内視鏡下の縫合では拡大視されているので，すくい上げる組織量は裸眼で行う手術に比較して少なめになりがちである．片面型運針より，両面型運針を心掛けるべきである(**図6**).

縫合を開始する際には，縫合針は大きく「深くかぶり」直角に刺入する．その後，持針器を回転させると，針先は縫合針の弯曲に沿って進む．組織から針を引き抜く際には，持針器で針先を傷めないように，できるだけ針先から離れたところを把持する．持針器を回転させることにより，弯曲に沿って抜去する．これらの操作により，適切な量の組織をすくうことが可能となり，針折れのリスクも減ずる．

一方，縫合糸の把持に際しては，腹腔内での針のロストを防ぐため，ラチェットの使用は最低限にすべきである．

小児外科領域では，3.5 mm径の持針器も汎用されており，5 mm径のポートからの挿入も可能である．

図6 片面型運針(a)と両面型運針(b)

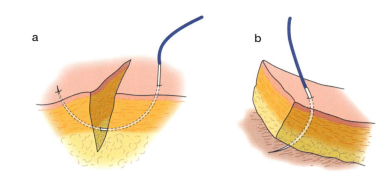

図7 SZABO-BERCIアシスタントニードルホルダー"フラミンゴ型ジョウ"の先端
　　　　　　　　［カールストルツ社資料より引用］

- 受針器/補助鉗子（縫合・結紮時に左手で操作する鉗子）

　受針器には，組織・針・糸を把持する機能が求められる．受針器は組織を直接把持する機会が多いので，先端は無傷性のものが望ましい．また，糸を結ぶ際には縫合糸を確実に把持し，ループを作りやすいなどの機能も必要なので，先端の形状に弯曲を有するものが望ましい．

　SZABO-BERCI ニードルホルダー"オウム型ジョウ"との対で，アシスタントニードルホルダー"フラミンゴ型ジョウ"が縫合・結紮に汎用されてきた（**図7**）．

　メリーランド鉗子はローテーション機能もあるので代用できるが，鉗子のjawのヒンジ部に糸が絡みやすいので，ループを締める際には注意を要する．また持針器を受針器の代わりに用い，結果として両手に（jaw straightの）持針器を持ち，左右両方向から運針を可能とする選択もある．

その他の内視鏡手術器具

- ポート

　内視鏡下の縫合・結紮に際しては，ポート内での針のロストが危惧される．スケルトンのタイプ，さらには気腹をシールする弁を緩める，あるいは直視する機構を有するものが望ましい．

- スコープ

　従来は，金属の筒に複数のレンズを組み込み，光で画像を伝える光学スコープ（硬性鏡）が主流であった．内視鏡下の縫合・結紮に際しては，30°斜視型の光学スコープが適している．0°の光学スコープ（直視鏡）は，対象物に対する視軸が固定されるので不向きである．先端にCCDを搭載した弯曲可能なビデオスコープも普及している．CCDは高解像度のHD画像対応で，深い被写界深度を有するため，ピント合わせは不要で，内視鏡下の縫合・結紮に適している．

　二次元（2D）表示や精細度が低い画像を利用すると，奥行き感を把握しにくいという課題があった．しかし，4K（4,000×2,000画素級）などの高い精細表示，あるいは三次元（3D）表示を活用して，リアリティの高い可視化が実現されており，内視鏡下での縫合・結紮がより容易になりつつある．

C 縫合・結紮の基本操作

　縫合・結紮は外科医の基本手技の1つである．直視下の手術においても外科に入門したての医師は必ずトレーニングを行ったはずである．その手技を十分に習得したとしよう．しかしそれだけでは内視鏡下での縫合・結紮に対してはまったく役に立たない．内視鏡手術の特徴である二次元(2D)で接線方向の視野，トロッカーによる鉗子の動作制限が直視下の手技とは違うのである．

　トレーニングボックスでの修練を積み重ねて実際の臨床で内視鏡下に縫合・結紮を行った方は多いと思う．その際に今までは容易に縫合・結紮をできたと思っていたのに，実際の臨床ではまったく思ったようにできなかった症例を経験した方は多いのではないか．なぜ容易にできたのか，困難だったのかを理解することは手技の上達において非常に重要である．本項では縫合・結紮に必要な基本的知識について言及する．

内視鏡手術の特性

　内視鏡下の視野は基本的に見上げの視野になるが，直視下操作では背面に対して90°の視野角になっている（図1）．視野角の違いは運針する際の針の刺入角度に影響する（図2；▶動画1・2）．動画1は直視鏡(0°)，動画2は斜視鏡(50°)である．視野を補正するには斜視鏡かフレキシブルスコープを用いて見下ろしの視野を作るとよい（図1）．

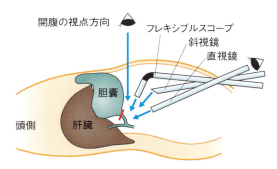

図1　視野角の違い
腹部の矢状断図．直視下では背面に対して90°の角度がある．それに対して直視鏡での視野は接線方向になる．視野角は斜視鏡やフレキシブルスコープの見下ろしにより補正することが可能である．

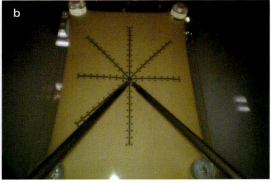

図2　直視鏡と斜視鏡の視野の違い
aは直視鏡，bは50°斜視鏡である．視野角の違いが操作に影響することが想像できるであろう．

図3 fulcrum effect
ハンドルを右に動かすと先端は左に動く．トロッカーを支点に鉗子先端が動くため，思わぬ力が組織に働くことがある．

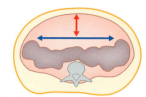

図4 操作空間
鉗子は閉鎖された空間での操作になる．腹側・背側方向より左右方向の方が操作空間は広くなる．

- hand-eye coordination

われわれはコップを手に取るとき，まったく意識せずに持つことができる．この動作をhand-eye coordinationという．日常生活で当たり前の動作も内視鏡下では非日常的となる．初めてモニターを通して鉗子を動かした際に，直感的に操作できる人とできない人がいるはずである．これには「慣れ」が必要であり，トレーニングをすることで克服することができる．車の縦列駐車と同じことである．

- touch confirmation

内視鏡下の手技は基本的に2Dモニターを見ながらの動作になる．したがって奥行きの感じづらい環境であるが，その際に重要になるのがtouch confirmationである．鉗子を腹腔内で動かすだけでは，target organに的確に鉗子を持っていくことは初心者では難しい．まずtarget organを触れてみて確かめることで遠近感の補足とする（▶動画3）．

- fulcrum effect

内視鏡手術では体壁に挿入したトロッカーを通して腹腔内に鉗子を挿入する．鉗子を右に動かせば先端は左に動く（図3）．初めて内視鏡手術を行う場合のみ問題になるが，その後は意識しなくても鉗子操作を行うことができるはずである．問題は「てこの原理」により鉗子操作で先端に強い力が作用する場合があることである．常に先端に意識を配らなくてはいけない．

- 操作空間

内視鏡手術は閉鎖された空間で行う手技である．したがって従来の開腹手術より操作空間は圧倒的に狭い．特に腹側・背側の距離を保つことは難しい．鉗子先端の操作範囲は左右もしくは前後方向の方が広いため，縫合・結紮の際にはこの横方向と縦方向を上手に使うことが重要である（図4）．

基本的なセットアップ

- co-axialセットアップ

target organと術者の体，スコープが一直線上に位置し，その軸上にモニターを配置するセッティングである．日常われわれが無意識に体現しているもので，一番自然な状態と考えられる（図5）．

C　縫合・結紮の基本操作

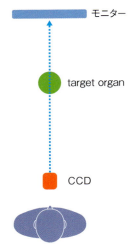

図5　co-axialセットアップ
術者の目とモニターの同軸線上にスコープのCCDとtarget organがあるポジションは直視下操作と差異のない状態と考えられる.

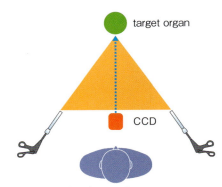

図6　triangular formation
視軸を中心としたtarget organに対して二等辺三角形をイメージしてその底辺角から両手の鉗子が位置するポジション.

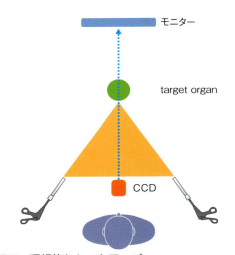

図7　理想的なセットアップ
co-axialセットアップで両手鉗子がtriangular formationを形作るポジションが内視鏡手術の理想的なセットアップである.

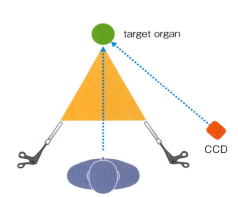

図8　para-axialセットアップ
術者の視軸とスコープのCCD視軸とがずれているセットアップ. 実際の臨床ではこのセットアップをしているケースが多々ある.

- triangular formation

　視軸を中心としたtarget organに対して二等辺三角形をイメージしてその底辺角から両手の鉗子が位置するポジションで，自然な鉗子操作ができる理想的な形である（**図6**）.

- 理想的なセットアップ

　co-axialセットアップで両手鉗子がtriangular formationを形作るポジションが作業効率上理想的である．実際の手術ではtarget organが1ヵ所ではないため常に同じポジションにすることはできないが，可能な限り意識してこの状態を保つことが必要である（**図7**）.

- para-axialセットアップ

　術者の視軸とスコープの視軸がずれているセットアップをpara-axialセットアップとい

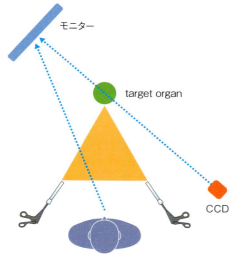

図9　para-axialセットアップの違和感解消法
モニターの位置を動かしスコープの視軸と術者の視軸を近づけることで，感覚的なco-axialセットアップを得ることができる．

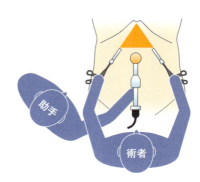

図10　上腹部手術の理想的なセットアップ
術者が脚間に入りカメラ助手が片手でスコープを操作する．

う(**図8**)．この軸がずれることでモニターに映し出される画像も変わってくる．術者とスコープの視軸が60°以内のずれであれば鉗子操作は違和感なく行えるといわれている．内視鏡手術に慣れてくると胃切除や低位前方切除などで，実際には問題なくこのセットアップで行っているはずである．しかし縫合・結紮は通常の鉗子操作に比べ格段に手技が難しいため，para-axialセットアップでは難易度がアップする．

- para-axialセットアップの違和感解消法

視軸とスコープ軸のずれが少ない場合は問題なく鉗子操作を行うことができる．しかし軸のずれが大きい場合はpara-axialセットアップのモニター下での操作は非常に困難となる．例えば胃切除や低位前方切除での助手の場合がそうである．この場合，首を回して術者のモニターを見ると違和感がなくなることは経験上知っているであろう(**図9**)．しかし長時間の手術では頸部の負担が大きくなるため，視軸のずれた視野での鉗子操作に慣れる必要がある．

実際の臨床でのセットアップ

理想的なセットアップは前述のとおりである．しかし実際の臨床では理想的なセットアップをすることは容易ではない．

- 上腹部手術の理想的なセットアップ

上腹部手術の場合は，術者が脚間に入りco-axialセットアップでtriangular formationをとることは可能である．しかしカメラ助手が術者の邪魔にならないようにポジションをとると片手でのスコープ把持が必要で(**図10**)，長時間の手術は困難である．また助手が両手で鉗子操作をすることは難しい．

- 上腹部手術の現実的なセットアップ

助手が片手操作でよい場合，triangular formationを多少崩すだけでco-axialセット

C 縫合・結紮の基本操作

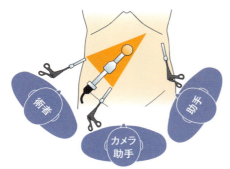

図11 上腹部手術の現実的なco-axialセットアップ

target organが左にある場合はco-axialセットアップが可能である．このポジションでは助手が両手操作を行うことは難しい．

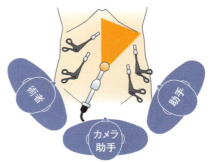

図12 上腹部手術の現実的なpara-axialセットアップ

para-axialセットアップにすることで術者，助手，カメラ助手が楽なポジションで手術を行える．術者の視軸とスコープCCDの視軸の角度差が小さいため，違和感はあまり感じない．

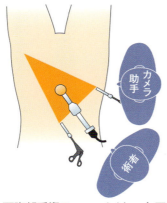

図13 下腹部手術のco-axialセットアップ

患者右側から二等辺三角形のポジションを崩すことでco-axialセットアップが可能になる．しかしこの場合，助手は両手で鉗子操作をすることは難しい．

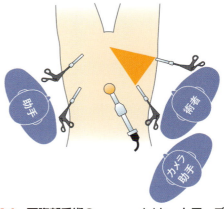

図14 下腹部手術のpara-axialセットアップ

para-axialセットアップにすることで術者，助手，カメラ助手が楽なポジションで手術を行える．術者の視軸とスコープCCDの視軸の角度差が小さいため，違和感はあまり感じない．

アップが可能である．体位は閉脚位でも開脚位でもよい（図11）．

　胃疾患に対する腹腔鏡下手術では助手が両手で鉗子操作をする必要がある．この場合はco-axialセットアップをとることは現実的には困難である．したがってpara-axialセットアップにより術者，助手，カメラ助手が楽なポジションで手術を行えるセットアップが現実的である．体位は閉脚位，開脚位でも可能である（図12）．

- 下腹部手術のセットアップ

　理想的なセットアップを目指すと，術者は患者頭部にまたがる必要があり，実際には不可能である．したがってtarget organの位置により，患者右側もしくは左側に移動して二等辺三角形を崩すことでco-axialセットアップとなる（図13）．

　一方で消化器疾患のように手術時間が長く複雑な手術を行う場合はco-axialセットアップを維持することは難しい．para-axialセットアップにより術者，助手，カメラ助手が楽なポジションで手術を行えるセットアップの方が現実的である（図14）．

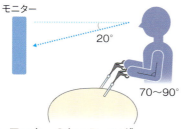

図15 モニターのセッティング
モニターの位置は水平より約20°下げ，術者の肘関節は70〜90°のポジションになるようにする．

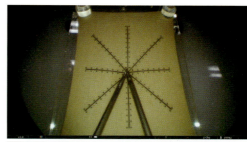
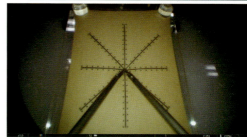
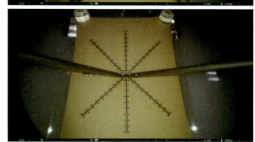

図16 結紮に必要な鉗子角度
target organと鉗子の挿入部位により，左右鉗子の角度が変化する．それにより結紮動作の難易度が変化する．

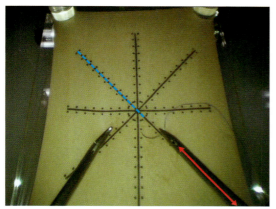

図17 縫合ライン
持針器の方向（赤矢印）と縫合ライン（青点線）が同軸線上にある場合，最も縫合操作が行いやすい．

モニターと手術台のセットアップ

　内視鏡手術は長時間モニターを見ながら行うため，モニターのセッティングは術者のストレスを軽減するために重要である．モニターの位置は水平より約20°下げ，術者の肘関節は70〜90°のポジションになるようにするとよい（図15）[1]．また手術台を術者，カメラ助手側に5°くらいローテーションすることで，術者鉗子は体幹により近くなり操作ストレスが軽減される．カメラ助手のトロッカーも体幹に近くなるため，より楽にスコープ把持ができるようになる．

縫合・結紮に必要な鉗子角度

　鉗子の角度による縫合・結紮の作業効率は，視軸に対する鉗子の角度が45〜75°で特に60°のときに最もよく，角度が30°以下の鋭角になる場合，作業効率はかなり低下するといわれている[2]．したがって鉗子間の角度が120°の場合が最もよく，60°以下の場合は難しくなる（図16）．C-loopによるhalf knotは鉗子角度が狭くなるほど難しくなる（▶動画4）．

　一方，縫合を行う場合は持針器の長軸ラインに平行なラインで縫合を行うのが最も容易である（図17）．針の弯曲方向と縫合ラインが一致しない場合はmove the groundを意識

C 縫合・結紮の基本操作

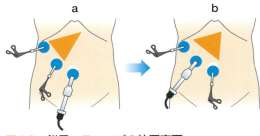

図18 鉗子，スコープの位置変更
腹腔鏡下胃切除での縫合操作の場合，aのpara-axialセットアップでは鉗子間の角度が狭く結紮動作は難しい．スコープと右手の鉗子を入れ替えることで，bのco-axialセットアップになり鉗子間角度も広くなるため結紮動作は容易になる．

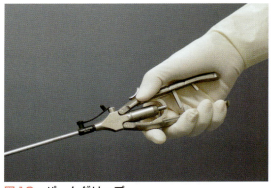

図19 パームグリップ
手掌で握る持ち方．安定した把持と強い運針が可能である．

図20 パームグリップの回旋運動
運針には手関節，肘関節，肩関節を用いた運動が必要になる．持針器軸の回転は約180°くらいである．

して運針する（▶動画5・6）．縫合の行いやすい鉗子角度と結紮を行いやすい鉗子角度は必ずしも一致しない．実際の臨床では数本のトロッカーを留置しているので，スコープ，鉗子の入れ替えを考えながらポジショニングする（図18）．

持針器の持ち方，動かし方

持針器の持ち方は主にパームグリップ，ペングリップの2通りがある．それぞれ利点，欠点があり，持ち方に適した持針器が販売されている．

- パームグリップ

手掌で握り込む持ち方であり，安定した把持と強い運針が可能である（図19）．しかし運針には手関節，肘関節，肩関節を用いた運動が必要になる（図20）．細かな操作に向いていないが疲れづらいのがよい（▶動画7）．

- ペングリップ

母指，示指，中指で持つ持ち方で（図21），指と手関節の動きで回旋運動ができるため繊細な運針が可能になる（図22）．ちょうどつまみを回す動作と似ているためradio tuningといわれる（▶動画8）．一方で手が疲れやすく長時間の縫合には向いていない．

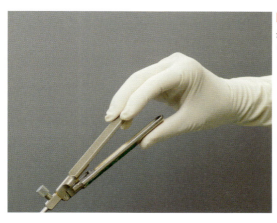

図21　ペングリップ
母指，示指，中指で持つ持ち方でハンドルをつまむ感じになる．

 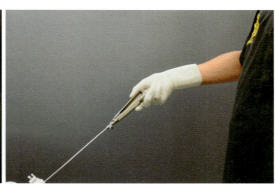

図22　ペングリップの回旋運動
運針には手指の動きに手関節の動きが重なるため，持針器軸の回転は約270°くらいになる．

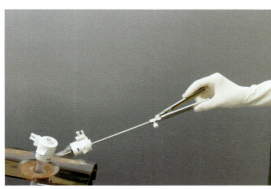 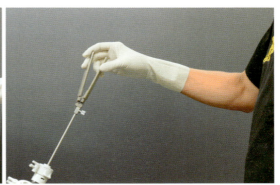

図23　持針器とターゲットの角度
target organが鉗子挿入部に近くなると鉗子が「立った」状態になる．ペングリップでは容易に把持できるがパームグリップでは操作は困難になる．

持針器とターゲットの角度

　　target organが鉗子挿入部に近くなればなるほどハンドル部分は腹壁に対して角度がつく（鉗子が立つ：図23）．パームグリップの場合，手関節を掌屈し肩関節を回内しなければ持針器を把持することはできず操作が難しくなる．その場合はペングリップに持ち替えるか，対応した持針器（図24）を使用する．

C　縫合・結紮の基本操作

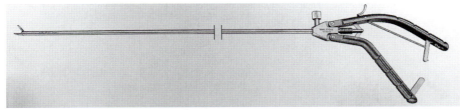

図24　KOHマクロニードルホルダー
ハンドル部分が長軸に対して屈曲しており，パームグリップでも鉗子が立った状態で縫合・結紮が可能である．

［カールストルツ社資料より引用］

　　内視鏡下縫合・結紮手技の上達法に近道はなくトレーニングを積み重ねるしかない．しかしながら技術の習得のみではなく，縫合・結紮の「理屈」を知ることが上達の手助けをするはずである．

文　献
1) Berquer R, et al：An ergonomic study of the optimum operating table height for laparoscopic surgery. Surg Endosc **16**：416-421, 2002
2) 内田一徳：よくわかる内視鏡下縫合・結紮のコツと工夫．p23．永井書店．2006

Chapter II

縫合・結紮手技トレーニング

A トレーニングの流れ

縫合・結紮トレーニングで学ぶべきこと

　トレーニングには，常に目的が存在する．例えば，野球の世界でピッチャーが足腰を強化するのは，コントロールや球速すべてに足腰の強さが影響するからである．試合でボールを投げるだけでは成長に限界がある．技術の底上げには，基本的な能力を高めることが重要である．縫合・結紮トレーニングは内視鏡手術の手技向上のための，足腰の鍛錬に近いものである．内視鏡手術の基本技術をマスターするのに様々な点から適している．実際の手術でどのような能力が必要かを見極め，強化すべき技術や能力をトレーニングボックスでトレーニングすることで，限られた実践の機会を充実したものにすることができる．

　トレーニングボックスで培われる能力は以下の4点である．トレーニングの目的を理解し，どの部分をトレーニングしているか認識することで，より効果的なトレーニングが可能となる．

- 立体視(三次元構築)の能力

　画像の情報を統合して，頭の中に仮想の立体空間を作り上げることである．この能力は個人差があるが，経験とともに養われていくものでもある．トレーニングボックスでは，視覚から得られる立体情報が少ないため立体視が難しくなる．鉗子の動きや左右の鉗子の重なりなどで情報を自然と拾う力が養われる．また，針の向きなどが最初はわかりづらいが，針の光の反射の変化などで針の向きの把握も可能となる．

- 支点を中心とした鉗子運動(てこの動き)の理解

　支点を中心としたてこの動きは，内視鏡手術の技術修得には欠かせないものであるが，かなり複雑な作業をしていることも認識する必要がある．実際は感覚で覚えることになるが，この動きの難しさは力点，支点，作用点の関係が常に変化することにあると認識することにより，力の入れ具合までも変化することになる．臨床では，じっくり鉗子の動きを見る余裕はないが，改めてトレーニングにより認識することが重要である．

- hand-eye coordination

　前述の立体視の能力と，てこの動きを統合して操作を進めることである．二次元で表現された画面の中で動く鉗子を見ながら，自分の思うように鉗子を動かすことは最初は難しい．縫合や結紮などの細かな動きを繰り返すことでこの複雑な動きをマスターすることが可能となる．

- 両手の協調操作

　結紮では，右手，左手が効率よく，互いに協力するように動くことが重要である．臨床では，右手の動きに集中することが多く，左手はおろそかになりがちである．右手，左手が無意識に動くことが重要であり，結紮のように左右常に動き合うことをトレーニングすることで，修得の難しいこの技術を会得することができる．

表1 タイムトライアルのルール

- square knot を行い，糸を剪刀で切離し針を回収する
- 測定は，針の挿入（トロッカー通過時点）から，針の回収（トロッカー通過時点）まで
- 残った糸の長さは両端とも3cmまでとする
- 結紮点は，組織に付着しておかなければならない
- 3-0，26 mm程度の弯曲針を用いて，絹糸もしくは合成吸収糸を使用する
- トロッカーは，左右とも12 mmのトロッカーを使用する
- 受針器，持針器のタイプは問わない
- カメラは，固定でもカメラ助手がいてもかまわない
- 道具の置き場所も規定しない

トレーニングの手順

●両手の協調操作を学ぶ

　初心者が始めるトレーニングとしては，トレーニングボックスでゴムマットやスポンジに最初の1針を掛けた後，糸結びの繰り返しを中心に練習するのがお勧めである．外科医にとって，開腹手術で慣れ親しんだ糸結びを繰り返すことそのものには慣れているので苦にはならない．その中で糸の結紮点が動かないように左右の牽引を合わせながらていねいな操作を覚える．慣れれば，スピードを追求する．筆者が始めた頃，カメラつきのボックスがなかったこともあり，段ボールに孔を2つ開けて鉗子2本を通して，その内側にテープを貼りつけて糸を固定し，テープがずれないようにして糸結びを繰り返す練習を行った．開腹手術で行うトレーニングを再現したに過ぎないが，両手が自然に動くまで繰り返すことで，実臨床でも意識せずに勝手に動けるようになった．針付の糸は高価であるため，ある程度単純で，コストがかからないトレーニングを考案することも重要である．

●運針を学ぶ

　次に，運針をトレーニングする．まずは，針の持針器での把持ができないと始まらない．空中での針のやりとりは難しいので，シートの上などを使って，持針器で針を把持する．運針のトレーニングにはゴムシートを使用するが，ゴムシートにあらかじめ針穴を通す目標となるマークをつけておき，それを目標にマークからマークを通す練習を繰り返す．運針の第一歩として，素振りも重要である．マークの上を素振り（シミュレーション）して針がマークを通るイメージを作り，運針する．うまくいかないときは原因を考える．多くの場合，針をこねており運べていないことが原因である．できるようになれば，連続縫合の練習を行い，次にバックハンド（逆針）を練習する．さらに左手も練習できれば，おおむね臨床で運針をためらうことはなくなると思われる．

●タイムトライアル

　トレーニングの仕上げとして，**表1**のようなルールに従ってタイムトライアルを行う．両手持ち替えの男結び（square knot）で，目標タイムは初級者で30秒，中級者で25秒，上級者で20秒以内を1つの基準とする．どの段階の技術力でも，目標をクリアするためには何よりも正確性が重要である．急げば急ぐほどミスが増え，結果的に時間がかかる．筆者は，この理屈に気づくことがタイムトライアルの重要な目的であると考えている．内視鏡手術は，いかにミスを減らすかが実臨床では鍵となる．雑に手術を進めれば，出血が増え，不要な操作を増やすことになる．ていねいに動作を一つひとつ進めれば，技術レベルに応じて時間をクリアすることができる．

●日本内視鏡外科学会（JSES）縫合・結紮手技講習会カリキュラム

　JSESでは，毎年数回，学会教育委員会が中心となり講習会を開催している．2005年か

A　トレーニングの流れ

表2　内視鏡下縫合・結紮手技講習会コースプログラム

リモート型プログラム

AM	PM	当日進行内容	所要時間	備考
8:30	13:30	参加者　チェックイン		
9:00	14:00	オープニング	10分	
9:10	14:10	レクチャーⅠ（基本）	15分	
9:25	14:25	全体指導	10分	講師3名＋受講者9名
9:35	14:35	3グループ個別指導	30分	各グループ：講師1名＋受講者3名
10:05	15:05	レクチャーⅡ（応用Ⅰ）	15分	
10:20	15:20	全体指導	10分	講師3名＋受講者9名
10:30	15:30	3グループ個別指導	30分	各グループ：講師1名＋受講者3名
11:00	16:00	休憩	10分	
11:10	16:10	レクチャーⅢ（応用Ⅱ）	15分	
11:25	16:25	3グループ個別指導	30分	各グループ：講師1名＋受講者3名
11:55	16:55	質疑応答クロージング	5分	
12:00	17:00	閉会		

集合型プログラム

AM	PM	当日進行内容	所要時間	備考
8:30	13:30	受付開始		
9:00	13:30	オープニング	10分	
9:10	13:40	レクチャーⅠ（基本）	15分	
9:25	13:55	個人指導	30分	各グループ：講師1名＋受講者6名
9:55	14:25	レクチャーⅡ（応用Ⅰ）	15分	
10:10	14:40	個人指導	30分	各グループ：講師1名＋受講者6名
10:40	15:10	休憩	10分	
10:50	15:20	レクチャーⅢ（応用Ⅱ）	15分	
11:05	15:35	個人指導	20分	各グループ：講師1名＋受講者6名
11:25	15:55	縫合録画*	30分	
11:55	16:25	質疑応答　クロージング	5分	
12:00	16:30	閉会		

*縫合録画30分：リモートプログラムの「全体指導」の20分と最後の個人指導の10分

ら始まり，多くの方が参加している．参考までにコースプログラムを提示する(**表2**)．

　本講習会は，まったく内視鏡下の糸結びの経験がなくても，1日参加すればスムーズな結紮ができるようにプログラムしている．最初は糸結びに始まり，縫合，運針，連続縫合，slip knotなどを含んだ実践トレーニングなどを行っている．こういったトレーニングは，基本手技を一から教えてもらえることがメリットである．一度は参加することをお勧めする．

B 到達度評価

内視鏡手術の技術は，様々な観点から評価される．縫合・結紮の所要時間も評価ポイントであるが，単純にビデオで撮った操作が美しいことやミスが少ないことも評価ポイントである．このほか，バーチャルリアリティなどでの技術評価なども開発されている．到達度を定め，ステップごとに技術評価をしていくことで，高いモチベーションを維持してトレーニングすることができる．

縫合手技の自己評価

表1に縫合手技の自己評価表を示す．鉗子運動は支点を中心としたてこの動きを体で覚えることが重要である．理屈ではなく，鉗子が動く映像と手元の動きをリンクさせること（hand-eye coordination）が重要である．トレーニングボックスで様々な動きをする中で修得される．地点間の移動を考えた場合，最初の加速度は大きく，途中速度が一定になるため加速度は小さくなり，終点では急に減速するため加速度は大きくなる．スムーズな動きのためには，この一連の加速度変化が少ないことが理想である．すなわち，始点から終点までの行程が頭に入り，最も無駄なく加速度変化が少ないと動きはスムーズかつ美しく見える．決して速く鉗子が動くことが美しい動きではないことに留意したい．

縫合のチェックポイントは，針の把持を適切な角度でできるかが重要であるが，モニター上ではわかりにくい．慣れるまでは，直視下にトレーニングボックス内の針の向きを確認する．運針には目標が必要なので，刺入点と導出点を縫合用のシートにつけておく．

結紮のチェックポイントは，両手の協調操作と空間把握である．これができているかは，結紮を見ればある程度評価することができる．

表2にJSES技術認定での縫合・結紮の評価基準を示す．時間をかけてトレーニングを積めば，ある程度この基準で得点が期待できる．

表1　縫合・結紮手技の自己評価
1. 鉗子運動
    1. 鉗子の振戦なく操作ができているか
    2. 鉗子運動の速度にムラがないか
    3. 空間を鉗子が遠回りしたり，通り過ぎたりしていないか
2. 縫　合
    1. 持針器への針の把持はスムーズにできているか
    2. 針の角度は適切か
    3. 針を意図したところに通せているか
    4. 針をうまく運べているか（弯曲に沿って押せているか）
    5. 針の抜き出しは意図したところから出ているか
    6. 逆針による運針ができるか
    7. 左手で縫合ができるか
3. 結　紮
    1. 空振りなく糸が把持できているか
    2. 左右の鉗子の協調操作ができているか
    3. 立体を意識してループを作れているか
    4. 糸の牽引はバランスを保ちながらできているか
    5. 結紮点は移動していないか

B 到達度評価

表2 縫合・結紮の評価基準（技術認定の評価表より抜粋）

Category Ⅳ 縫合・結紮

Ⅳ-1　縫合技術	点数
縫合は術者の意図の通り，正確かつ迅速に行われている	5点
針のマウント，運針などに明らかな改善点が指摘でき，手術時間が延長している	2点
縫合技術が不十分である	0点
Ⅳ-2　結紮技術	**点数**
内視鏡下結紮がスムーズに行われている	5点
内視鏡下結紮に改善すべき点があり，手術時間が延長している	2点
結紮技術が判定できる資料がない	0点

縫合結紮手技は臨床例での体内結紮の場合のみ5点満点とする
体内縫合であっても刺通縫合・結紮は3点満点とする
縫合結紮の結紮は，体内結紮法とすること．体外結紮は3点満点とする
縫合練習器での縫合結紮操作は縫合3点結紮を4点満点とする

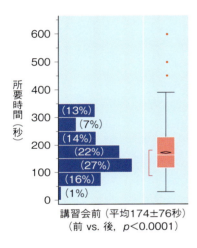
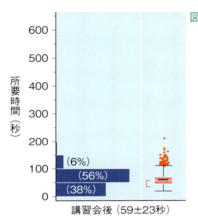

図1 講習会前後のタイムトライアル所要時間

［JSES教育セミナーより］

講習会前（平均174±76秒）
（前 vs. 後，$p<0.0001$）

講習会後（59±23秒）

縫合・結紮時間

縫合・結紮時間は術者の技術を反映しているが，急いで短くするよりも確実に作業をこなすことを重点におくことが肝要である．内視鏡手術では雑な作業は時間を消費するばかりで，動きが遅くともていねいな作業により結果的に早く終えることができる．縫合・結紮はその典型例であり，急ぐと糸のつかみ損ないややり直しなどにつながり，無駄な動きにつながりやすい．先述のように，加速度の変化が少ない動きこそが時間短縮への道になる．

JSESの内視鏡下縫合・結紮手技講習会では，1日の講習会の開始と終わりにタイムトライアルを実施している．**図1**に開催時から約5年間の成績をまとめた結果を示す．講習会前の所要時間が174±76秒に対し，講習会後は59±23秒で，有意（$p<0.0001$）に改善している．このことは，しっかりした指導と目的に応じたトレーニングは縫合・結紮の時間短縮につながることを示している．しっかりトレーニングすれば1日で技術アップが図れるが，それに加えて持続して練習することで修得につながることはいうまでもない．目標時間とタイムロスをなくした手技を身につけることで，実臨床で大きなスキルアップにつながると考えられる．

C トレーニングボックスの使い方

　内視鏡下縫合・結紮手技の反復練習にはトレーニングボックスが不可欠である．数多くの種類が市販されているが，基本構造はほぼ同様である．すなわち，持針器・受針器を挿入する穴が開いた箱，箱の内部を見るカメラ類と照明，縫合するものを置いた台の3点からなっている．

　筆者はこれまで内視鏡手術用トレーニングボックスを何種か開発し発表している．基本手技練習用，胸腔鏡下手術用，単孔式手術用など，目的に応じた練習器械を試作してきた．ここでは，自室で縫合・結紮手技を徹底的に鍛えたい読者のために，極めて低コストで自作可能なカゴ型トレーニングボックスの作り方を紹介しよう．

構　　成（図1）

- **カ　ゴ**

　「穴が開いた箱が必要」との発想を変えて合成樹脂製のカゴを使う．箱と違って内部が透けて見えてしまうが，鉗子の角度などが確認でき，むしろ便利である．無数に穴があり，言うなれば壁のすべてがトロッカー孔となる．どこからでも鉗子が入れられる．適当なカゴが百円均一店で手に入る．

- **受け皿や縫合の材料など**

　カゴを被せたときの受け皿として合った大きさのトレイを用意する．

　縫合・結紮の練習にどんな材料がよいかいろいろ試してみたが，ゴム製の指サックが一番目的にかなっているようだ．厚手のコルク板に画鋲で留めて使う．これらも百円均一店で入手可能．カゴとトレイは大きなクリップで留めて固定する．コルク板も両面テープつきのクリップなどでトレイに固定した方がよいだろう．

図1　カゴ型トレーニングボックスの部品
カゴ（ビデオカメラ用の穴を作ってある），トレイ，コルク板と縫合練習に用いる指サック．

C　トレーニングボックスの使い方

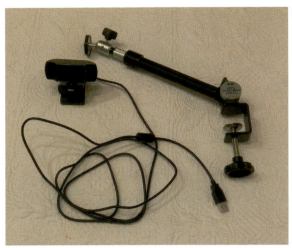

図2　Web カメラと固定器具

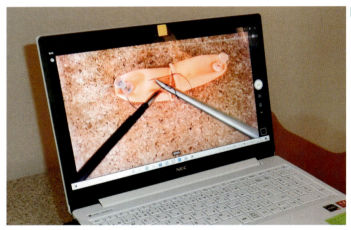

図3　Web カメラでよい画像が得られる

● Web カメラ（図2）

　手持ちのノートパソコンにWeb カメラを接続して画像を得る．新型コロナウイルス感染症（COVID-19）の出現でテレワークが一般化し，Web カメラが安価に入手できるようになった．焦点深度が10 cm程度でオートフォーカス機能がついた機種が望ましい．広角の必要はない．数千円で購入できるはずだ．

作り方

　カゴの目をニッパーなどで適当に切ってカメラ用の穴を作る．トレイにコルク板を置き，穴側を向かい合わせにした2つの指サックを画鋲で留める．トレイにカゴを逆さにはめてクリップで留める．Web カメラを固定器具で机に固定し，カゴの穴から内部を撮る．Web カメラのUSB端子をノートパソコンに接続し，カメラモードでWeb カメラを選択し，パソコン画面に画像を得る（**図3**）．これで準備完了．

　カゴ型トレーニングボックスの第一の利点は言うまでもなく低コストな点だが，使わないときには分解してしまっておける省スペース性も強調しておきたい．縫合・結紮の練習器としての使い勝手も抜群である．医局や研究室で購入したトレーニングボックスで皆で

図4 カゴのどの部分からも鉗子が入れられる

図5 固定カメラ：指導医の指示あり

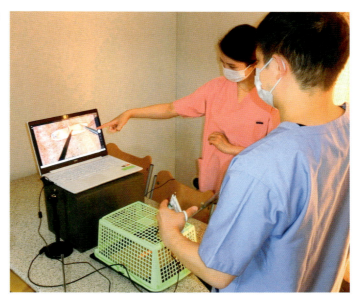

練習するのもよいが，1人，2人で時間を気にせず練習に没頭するにはこの「カゴ型」を勧めたい．

使い方

　右手に持針器，左手に受針器を持ち，画像を見つつカゴの任意の場所から挿入して縫合・結紮の練習を行う（**図4**）．

　まず，最も容易に運針できるポジションを探す．肩・肘・手の各関節に負担なく左右の鉗子が操作できて，かつ自然の手首の返しで半円針が正確な軌道を描ける，それが最適なトロッカー配置である．このゴールデンポジションで縫合・結紮の各手技を十分に練習し，習得することが第1のステップである（**図5**）．注意してほしいのは，自然な縫合線は必ず右手の鉗子の延長方向ということである．右手の持針器の軸回転で運針をする限り，この

C　トレーニングボックスの使い方

図6　細径Webカメラ
a：全容，b：外筒チューブ

図7　細径Webカメラによる2人トレーニング

原則は変わらない．特に連続縫合の場合は右手鉗子の延長に縫合線を置くべきである．

　第2のステップは変則的なトロッカー配置を念頭に置いた練習である．両手の鉗子のなす角度や鉗子を挿入する深さを様々に変えてトレーニングする．組織に刺入される針の軌道の深さ・向きなどを意識しつつ，縫合できる許容範囲を覚える．変則配置では縫いにくいということを実感するだろう．

　第3は，実臨床で術中に生じる縫合線を予想して，最適なトロッカー配置をボックスを用いて検討する実践のステップである．体壁のどこにトロッカー孔を設ければゴールデンポジションに近い配置が得られるか，縫合線が持針器の延長と一致するかを，どこからでもアプローチできるカゴ型トレーニングボックスの長所を生かして綿密な術前準備をしていただきたい．

● 細径Webカメラの応用（図6）

　直径5mmほどの円筒状の細径カメラが販売されている．暗く狭い場所の落下物を回収する用途とのことで，LEDライトが備わっている．DIYショップなどで売っているプラ

図8 対面での練習：カメラは天地逆となる

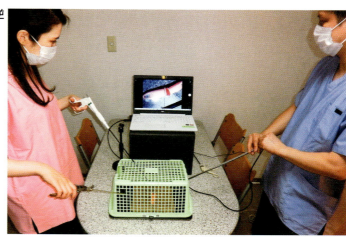

スチック製の適当なチューブを外筒とすれば，硬性鏡のモデルとなる．画像の天地調整のために外筒と細径カメラは固定しない．これを用いれば，カメラ操作のトレーニングを鉗子操作と同時に行うことができる(図7)．一般の腹腔鏡下手術ではカメラ操作者と鉗子操作者が対面することはないが，もし対面した場合は画像を反転倒立させると鉗子操作者のhand-eye coordinationを保つことができる(図8)．胸腔鏡下手術の技術として重要である．

D マルチエンドボックスを用いたリモートトレーニング

2020年に発生したCOVID-19パンデミックにより，医療者は様々な制約を受けることになったが，内視鏡下縫合・結紮手技講習会も例外ではなかった．当然のように対面で行ってきたハンズオントレーニングが，感染対策のために実施不可能となった．日本内視鏡外科学会主催の内視鏡下縫合・結紮手技講習会も中止となることにより，技術認定制度への影響だけでなく，日本の内視鏡外科の教育・普及も危ぶまれる状況となった．そのような状況の中，笠間和典（四谷メディカルキューブ），内藤剛（北里大学），磯部真倫（新潟大学）が中心となり，オンラインを利用した「リモート内視鏡下縫合・結紮手技トレーニング」の構築を試みた．本項ではそのリモートトレーニングのノウハウとアンケート結果，展望について述べたい．

実施方法

リモートでの内視鏡下縫合・結紮手技トレーニングの具体的な実施方法については，筆者の著書『事例で学ぶ 医療者のためのWeb会議システム活用メソッド』に記載しており，そちらを参考にしていただきたい[1]．本項では簡潔に記載する．

これまでの縫合・結紮トレーニングデバイスに，「キャプチャーボード」を用いることでリモートトレーニングが可能となる（図1）．キャプチャーボードとは，ゲームやビデオカメラの映像をパソコンに出力する機器である．画面をパソコンに映して，ライブ配信するために使用されている．ビデオカメラを用いた通常のドライボックストレーニングは，ビデオカメラをHDMIケーブルでモニターにつないで行うが（図2），キャプチャーボードを使用する場合，ドライボックスに設置したビデオカメラのケーブルをキャプチャーボードに入力し，キャプチャーボードとモニターを接続する．さらに，キャプチャーボードとパソコンをUSBケーブルで接続すると，通常のトレーニング環境を保ちながら映像をパソコンに出力できる．これを指導者とともにWeb会議システムでつなげば，遠隔で指導者が学習者の結紮を見ながら指導できる．また，多人数での指導も可能である．さらに，指導者側も同様にキャプチャーボードを使用すれば，デモンストレーションを行いながら解説ができる（図3）．

今回の講習会では，これらの用具一式を持っていない受講者がほとんどであると考えた．そのため，自施設や自宅から遠隔教育を受けられるように，容易にボックストレーニ

図1　キャプチャーボードの例（1万円程度）
・ゲームやビデオカメラなどの映像・音声をパソコンに出力するための機器
・TVゲームなどの画面をパソコンに映して，録画・ライブ配信するために使用されている

図2　従来のトレーニング方法

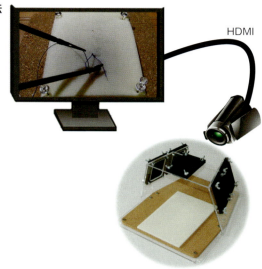

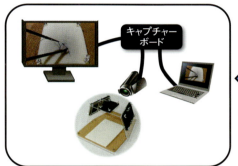 

図3　Web会議システムでつなぐことにより遠隔指導が可能となる

ングが実施可能な環境に設定できるマルチエンドボックスや持針器セットなどの機材一式を郵送し，組み立て方を動画で説明し，受講者自身が設定することとした（図4）．なお講習終了後は速やかにこれらの機材を返却してもらった．

実際のトレーニング（▶動画9）

　実際のJSESのトレーニングは，オンライン環境を長時間続けることが困難であるため，3時間の講習となっている（☞ChapterⅡ-Aの表2参照）．また，トラブル対応を容易にするために参加者は9名とし，講師は3名としている．レクチャーと実技講習からなるのは従来と同じである．レクチャーは，基本，応用1，応用2からなる．レクチャーの後に実技講習となるが，まずはメインルームで全員がトレーニングを行い，講師も3名で全体を見て指導を行う形となる．10分のトレーニング後，ブレイクアウトセッションに分かれ，講師1名に対して3名の受講者がトレーニングを受けるよう，3組に分かれる．これを3回繰り返すが，毎回講師は変わることとし，多様な講師陣から学べるようにした．クロージングの後に講習は終了となる．

D　マルチエンドボックスを用いたリモートトレーニング

マルチエンドボックスと持針器セット一式を指定の場所に宅配便で発送する

サイズ：
縦45cm横58cm高さ53cm
*3辺合計の長さ158cm

総重量：約13kg

組み立て動画
https：//youtu.be/AX3ww_YhiIk

モニター，ケーブル，持針器（4本），把持鉗子，針糸，テキスト，パッドなど必要な資材一式が含まれている．マルチエンドボックスの組立は，動画や説明書を参照しながら20分ほどで設置できる．

出来上がりと設置イメージ図

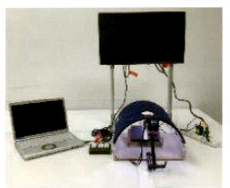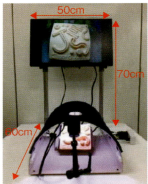

図4　マルチエンドボックスと持針器を郵送し，組み立て方を動画で説明する

アンケート結果

　2021年度に行われたリモートトレーニングのアンケート結果（回収率52%）では，講習会の満足度について，大変満足・満足と答えた参加者は99%と高い満足度を得ることができた．また，ほとんどの参加者が30分以内で問題なく機材の組み立てが可能であった．

　学習者からのフィードバックでは，「会場より有意義であった」「様々な指導医から学ぶことができた」「集合型と同様に学ぶことができた」「働き方改革からもアフターコロナにもWeb参加はありがたいと思った」「セミナー前にあらかじめ予習動画でここまでやるとか，このレベルにしておいてほしいとわかると効率がよい」「指導医のデモンストレーション，手元の動きが見たい」などの声が聞かれた．

　教育者側からのフィードバックでは，「普段より疲れた」「技術を言語で教えることの難しさ」「デモンストレーションを行いたい」「講師の言語化能力による指導力の差がある」などの声が聞かれた．また，今後行うとしたらオンラインと対面式のどちらがよいか？という質問には，78%の参加者がどちらかというとオンラインセミナーと答え，会としてはおおむね成功と考えられた．

　これまで実施されてきた中では大きなトラブルもなく，リモート内視鏡下縫合・結紮手技トレーニングとしてのメソッドは確立されたように思われる．ただし，対面教育に比してのトレーニング効果についてはいまだ不明であり，今後のさらなる知見の蓄積が望まれる．

現在までの実施状況

　2022年度からリモート型と集合型が選択できるようになり，個人のニーズに応じた縫合・結紮手技トレーニングが可能となった．どちらも好評を得ている．また，指導者側もマルチエンドボックスを取り寄せ，指導者側の手元を映しながらの指導が可能となった．また，2022年は，東北地方の地震により新幹線が不通となり，これまでであれば東北地方の医師の参加が不可能となった状況において，リモート縫合・結紮手技トレーニングを用いることで通常どおり実施可能であった．

　まとめると，COVID-19パンデミックの中，マルチエンドボックスを用いたリモートトレーニングは十分に実施可能であった．ただ，教育の効果にはさらなる検討が必要である．しかしながら，今後の働き方改革も含めて縫合・結紮トレーニングの新たなオプションとなることは間違いないであろう．さらなる遠隔トレーニングの発展が望まれる．

文　献
1) 磯部真倫（編著）: 事例で学ぶ　医療者のためのWeb会議システム活用メソッド，p203-213, 中外医学社，2021

E トレーニングの実際

1. 針の把持と運針の基本

　内視鏡下で吻合を行う際には，実のところ結紮の要素はあまり多くない．特に連続縫合を行うときには結紮よりも適切に針を持ち運針することの重要性が高くなる．

　内視鏡下結紮は基本中の基本でありこれができないと話にならないが，結紮自体は吻合・再建の中ではほんの一部に過ぎない．20分の再建時間であったら，結紮している時間は2〜3分であろう．残りの時間は縫合に費やしていることとなる．縫合の中で重要な位置を占めているのが「針の把持」と「運針」である．この「針の把持」「運針」は本当に奥が深い．上手な人と達人との差はこの針の把持・運針に出てくる．連続縫合は「針をつかむ→組織に針を通す→針を抜く→糸を引っ張る→針をつかむ」という動作の繰り返しである．その一つひとつをどれだけ無駄がなく，流れるように行えるかが重要であり，無駄を減らすことを意識してトレーニングしなければならない．本項では針の把持の仕方，および運針に関してのトレーニングに焦点をおいて説明する．

やりやすい環境を作る

　縫合に関しても，重要なことは「やりやすい環境を作ること」である．腹腔鏡に限らず，手術で最も大事なことの1つは術野展開であり，内視鏡手術で苦労している人の手術を見ると，ほとんどが術野展開が不十分で自らやりづらい状況を作ってその中で苦労している．反面，本当に上手い人の手術をみると，何の苦もなく行っていて自分でも簡単にできるのではないかという錯覚に陥りがちである．縫合・結紮がしやすい術野・セットアップを作ることが重要となる．

　では針の把持・運針がやりやすい状況とはどのようなものであろうか？　一般的にはco-axialな状況で行うことが自然であると考えられる．

　co-axialなセットアップとは図1のようにカメラが真ん中から出てその両側から術者の手が出るという状況である（☞Chapter I -C 参照）．そしてモニターはカメラから真っ直ぐの場所に配置することが好ましい．これは日常生活では当たり前に作っている状況である．例えば，食事をするときに顔が横を向いて，両手が横から出ている（para-axialな状況）食べ方はしないであろう．同様に，最も自然でストレスのかからない状況で手術をすることが最も簡単にできる方法である．リンパ節の郭清などではpara-axialなセットアップでも問題ないが，針の入る位置・出る位置・角度など多くの因子が絡んでくる縫合・結紮に関しては，para-axialなセットアップだと，カメラと組織の間に持針器が入ってきてしまい，見たい部分を隠してしまうことがある．また，微細な縫合が必要なときはやはり自然なセットアップの方がやりやすい．

　対象となる組織の位置も重要となる．腹腔鏡下手術では鉗子の入ってくる位置は変えることはできないが，幸い消化管手術では対象となる臓器は操作しやすい位置・方向に動かすことができる．これを「move the ground」テクニックという．この考え方を理解するこ

1. 針の把持と運針の基本

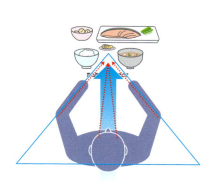
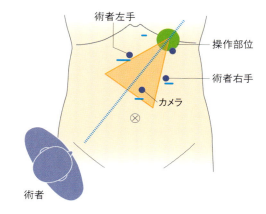

図1　co-axialなセットアップ

とにより内視鏡下縫合再建は飛躍的にやりやすくなる．

器材に関して

前述のごとく連続縫合は「針をつかむ→組織に針を通す→針を抜く→糸を引っ張る→針をつかむ」という4つの動作の繰り返しである．この一連の動作が流れるように行えることを意識してトレーニングすることが重要である．これらの動作を無駄なく行うためには針の大きさや糸の長さ，使う鉗子を一定にしておく方がよい．筆者は消化管吻合においては，基本的に針は26 mm，SH，糸は3-0吸収糸を多用し，糸の長さは単結節では12 cm，連続縫合では18 cmを基本としている．そのため，手術の際に器械出しの看護師には定規で正確に長さを測って糸を出してもらうようにしている．1 cm長さが違って出てくると違和感を覚えるくらい，体に染み込ませる必要がある．

実は持針器に関して筆者は特に強いこだわりはもっていない．しかし，左手の鉗子には強いこだわりを持っていて，外国に手術に行くときには必ず持参している．左手の鉗子は，糸が滑らないような面を持ち，組織を把持しても損傷しづらく，長く使っていても手・指が痺れず，ラチェットがついていないことを重要視している．そのため，可能なら練習の際にも左手の鉗子は実際の手術で用いるのと同様の鉗子を準備した方がよい．弘法大師でないわれわれは筆をきちんと選ぶべきである．

針の把持（▶動画10）

一口に把持といっても，決して簡単ではない．針を運針しやすい状態でつかむことにいくつもの因子が関わってくる．まずは，針のどこをつかむか？ ということが重要である．針の把持する部位により，運針の角度（手首のひねり具合），組織を通したときの針の出方などが変わってくる（図2）．

次に，持針器に対して針をどの角度で持つか？ ということも重要である（図3，図4）．前述したように内視鏡手術においては持針器の入ってくる位置は変えられない．そのため針を把持する角度とmove the groundを組み合わせることによって適切な運針を行うことができる．組織との角度によっては，かなりの鈍角で持たなければならないこともある．筆者は一般的には90°よりやや開いた角度で持つこと（図3の②）が多いが，逆針（図3の④）や持針器にほぼ水平に持つこと（図3の③）などもある．手術中にどの角度で持つのが

E　トレーニングの実際

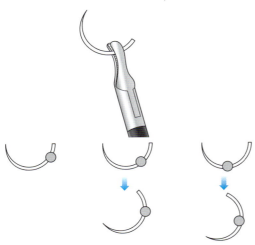

図2　針を持つ位置
針の先端に近いところを持つと手首をあまり回さずに組織に対して垂直に針を通すことができるが，組織を大きく掛けられない．針の先端から遠いところを持つと手首を大きく返さなければならないが，その分組織を多く取れて一挙動で貫通することができる．掛ける組織の厚さによって把持する位置を決める．

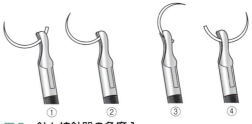

図3　針と持針器の角度1
運針する方向に合わせて針の持つ方向を決める．④では逆針となる．

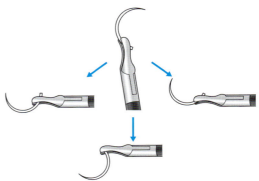

図4　針と持針器の角度2
針を立てて持つ際には，針と持針器の"縦方向の角度"によって運針の仕方が変わってくる．

よいのかを瞬時に判断して針をつかむことが重要である．把持の仕方は数種類あり，言葉による説明だけでの理解は難しいため，以下は動画を見ながら読むことをお勧めする．

• 針の先端を持って針の角度を変える方法

　針を適切な方向で持つ際に，いったん針の先端を左手の鑷子で軽く把持して，右手で糸を持ち，針の左手で把持している部分を中心として回転させ，適切な方向になったときに，右手の持針器で針を把持する．初めのうちはこの方法を推奨している．ポイントは左手での針の把持を強く行わないことと，できるだけ先端に近い部分を把持することである．左手での把持が強いとうまく回転ができないばかりか，針の先端を傷めて曲げてしまうことがある．

• 糸を引っ張り針の角度を変える方法

　この方法は上述の方法よりも1ステップ手間が少ないので，筆者は好んで用いているが，適切に行うためには多大なトレーニングが必要である．これは右手の持針器で針の持ちたい部分を軽く把持しておき，左手で糸を引っ張ることにより針を回転させる方法である．糸は針の付着部から2 cm程度の，付着部に近い部分を左手で持つ．針は右手の持針器で軽く把持した状態で，ラチェットは用いないようにしておく．左手の糸を，針を向かせたい方向に軽く引っ張ることにより針の先は容易に回転する．この際，左手は針を回したい方向に軽く回しながら引っ張ることが重要である．慣れてくると糸を引っ張ったことを意識しないくらい軽く動かすことで針を回転させることができる．

　針を適切な位置に回転させたところで，持針器でしっかりと把持する．

1. 針の把持と運針の基本

● 組織に針を置いて片手で把持する方法

術中に出血などがあり，出血点を左鉗子で押さえていたり，術野を確保するために左手の鉗子が動かせなかったりしたときなどに有効な方法である．

針の先を持ちたい方向に向かせた状態で，平坦な組織の上に置いて持針器で針を組織に軽く押しつけることにより針を屹立させることが可能である．適切な角度に屹立したときにしっかりと持針器で把持する．この方法でも，最初の針の置き方を逆側にすることにより逆針での把持も可能となる．

運　　針（▶動画10）

● 組織に針を通す

ここで重要となってくるのが，move the groundである．組織を適切に動かすことにより，針の角度と組織の角度を合わせて，適切な深さに針を通すことができるようになる．しっかりと手首をひねって組織に垂直に針を入れて，針の弯曲に合わせた無理のない運針を意識することが重要となる．そのためには持針器を軸としてひねるのではなく，持針器のヘッド全体を動かすことが必要である．針を通す際には，針先から組織の硬さを感じ取り，しっかり適切な深さに針を掛けることが重要である．浅く針を掛ける練習も深く掛ける練習も意識して行う必要がある．また針のどこをつかむかによって，組織を通した後に出ている針の長さが変わってくるため，次の針を抜くという操作にも影響してくる．

● 針を抜く

針を抜くときは右手の持針器で針を持って抜いても，左手の鉗子で持って抜いてもどちらでもよい．筆者はできるだけ無駄を省くために，左手で持って抜くことが多いが，その際は左手の鉗子を針の弯曲に沿って円を描くように意識して動かす必要がある．利き手の右手だと無意識でもそれができるが，左手は意識しないと円滑に動かせないことが多い．また針の先端部分を強く持つと針が曲がってしまい，その後の運針に支障をきたすことがあるので注意する．

● 糸を引っ張る（組織を締める）

針を抜いた後は，組織をしっかりとくっつけるように糸を持って引く．この際，糸のどの部分を持つかで余分な動作が必要となるかどうかが決まる．次の針を持つ動作と糸を引っ張って締める動作が1つの動作でできることが理想である．

上記の針をつかむことから始まる4つの動作を流れるように行えば，縫合操作も開腹よりも早く，美しくできるようになるはずである．言葉で言うのは簡単であるが，それができるようになるためには，長い時間をかけてボックストレーニングをする必要がある．

やりづらい環境を作ってみる

実際に手術を行う際には，前述したようにやりやすい状況を作ることが大切である．しかし必ずしも，いつもやりやすい状況でできるというわけではない．術野が狭い，鉗子の角度が立っている，右手と左手の角度のバランスが悪い，組織を浅く掛けなければならない，など多くの因子が絡んでくる．それをしっかりと想像して，トレーニングボックスではそれに適した練習を行うべきであろう．

> ### ▶▶ BACK to the SUTURE
>
> 　われわれが外科医になりたてのときを思い出してみてほしい．暇さえあれば糸をいろいろなところに結びつけて結紮の練習をしていたはずである．カンファレンスルームの椅子だったり，自分の車のハンドルだったり，結紮練習を繰り返した糸で一杯だった．ほとんど無意識に結紮ができるようになるまで練習していたはずであろう．でも，腹腔鏡下手術でそこまで練習しているであろうか？　ほとんどの人はそこまで練習をしていないであろう．その状態で，「難しい」「できない」といって，避けてしまっていることが多い．キチンと練習すれば，ほとんどの人ができるようになるはずである．
> 　私も，今も尊敬している米国の先生の手縫いで吻合を行う腹腔鏡下胃バイパス術を最初に観たときには，自分にはとうていそんな手術はできないと思った．しかし，落ち込んで諦めかけた私にその先生が言われたことは"All you need is to practice"であった．その言葉を信じて続けてきたことにより，技術的に高く評価されるようになってきた．現在は「難しい」「不可能だ」と思われている完全腹腔鏡下の再建も練習次第ではできるようになる．sutureは外科の基本的手技で必須項目であり，例え腹腔鏡下であってもそこから逃げたら技術的な進歩はなくなる．もう一度，手術の基本に立ち返って，腹腔鏡下のsutureを考えてみよう．今，日本の内視鏡外科に必要なことは"back to the suture"である．
> 　外科学において，「サイエンス」と「アート」の2つは両輪であり，そのどちらかが機能しなくなったら，進まなくなる．外科医である限りは，自らの技術を磨くことなしに進歩はないであろう．多くの外科医に「アート」の部分の重要性を再検討していただきたい．

2. 専用シート(Step'n Stepシート)を用いた結紮トレーニング

はじめに（▶動画11）

　初めて腹腔鏡の二次元の世界で結紮(square knot)を行おうとすると，糸が巻きつけられる側の持針器を手前に引いてしまい，ループから持針器がすり抜けることをしばしば経験する．それを防ぐための最も容易な方法が，"匍匐前進"，すなわちトレーニングシートの表面に持針器の先を触れながら前へのみ進めていく方法である．二次元の世界なら，結紮もまず二次元でトレーニングを始めれば簡単と考えた．この方法は，縫合・結紮トレーニングの初期で経験する大きな失敗の原因の1つ，C-loopが左右に偏ると相手の持針器に糸を巻きつけることが難しくなるという問題も併せて解決してくれる．いま一つのよくある失敗は，short tailが長過ぎるときに起きる．Step'n Stepシート(エム・シー・メディカル社：図5)はこれらの3つの失敗の原因を同時に解決するために開発された縫合・結紮トレーニングシートである．

　　　　　　［動画11〜16はエム・シー・メディカル社より許諾を得て転載］

トレーニングを始める前に

　Step'n Stepシートでは左右対称の動きをするため，両手とも持針器(補助持針器ではない)を持って行うトレーニングに適している．持針器には一般的に，数段のラチェット機構を用いて把持した針をロックする機能がついている．しかし，ラチェット機構で針を把持する前段階として，どの持針器にも"遊び"がある．これは軽く把持した針をもう一方の持針器や組織に当てて自由に向きを変えたり，糸の挫滅を防ぐべく軽く糸を把持するため

2. 専用シート（Step'n Stepシート）を用いた結紮トレーニング

図5　Step'n Stepシート

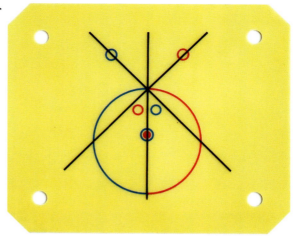

の"遊び"である．この"遊び"の幅は，同じメーカーの同じタイプの持針器であっても，それぞれ持針器によって異なる．それぞれの持針器のバネの強弱によるからである．購入するときはいくつかの持針器を試し，自分が使いやすいものを選ぶのがよい．また，持針器を置いておくときは必ずバネを解放した状態（gripしていない状態）にしておく．さもないとバネのヘタリが早くなる．ちなみに，ラチェット機構を用いて針をロックして用いるのは，針を斜めに把持して運針するときや，比較的硬い組織に運針するときに限られる．

overwrap/overwrapやoverwrap/underwrapを用いた素早いsquare knot操作には，このラチェット機構を決して使わないで，"遊び"の範囲で針や糸を把持することが求められる．肩・肘・手首の力を抜き，軽い操作でknotを作成する．Step'n Stepシートではまず，基本となる糸を持ち替えて行うoverwrap/overwrap法のトレーニングを行う．この縫合操作に十分慣れた後に，糸の持ち替えを行わないoverwrap/underwrap法によるsquare knotのトレーニングを行う．

Step'n Stepシート（図5）

すべての線が交わる点に運針し結紮する．青と赤の半円はそれぞれlong tailで作ったC-loop，逆C-loopを置くラインを示す．青の小さな円（サークル）はlong tailを青い半円に重ねたときの持針器の先を置く点を示している．同様に赤の小さな円（サークル）はlong tailを赤い半円に重ねたときのそれである．真ん中の縦のラインはco-axialセッティングで縫合・結紮を行うときの術者の視線のライン，斜めに交わる2本の線は両手持針器が術野に出てくるラインで，結紮時にlong tailとshort tailを引っ張るラインを示す．ライン上にlong tailを引くと次のC-loop，逆C-loopを正しい位置に作りやすくなり，short tailをライン上に引いておくと迎えにいく持針器の動きが最も小さくてすむ．すなわち，持針器の動きに無駄がない．

- 1回目のhalf knot（図6；▶動画12）

小さな運針を横向きに行うため，針を短く持ち①に運針する．右手持針器で抜いた針を放し，抜いた糸をlong tailとして把持し直し引き出していく．左手持針器の先でexit pointの組織（シート）を押さえて組織が持ち上がるのを防ぐ．右手持針器に持ったlong

41

E　トレーニングの実際

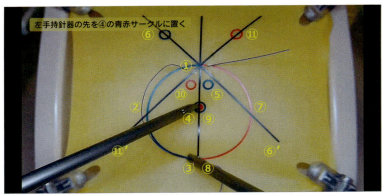

図6　1回目のhalf knot

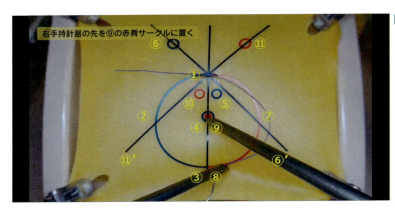

図7　2回目のhalf knot

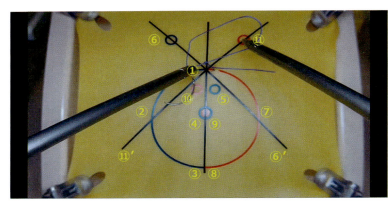

図8　slip knot

tailを②の青い半円に添わせてC-loopを作る．③の位置でlong tailを持ち直す．左手持針器を④の青いサークルに置く．右手を⑤の青いサークルに運ぶ．左手持針器で右手持針器を越えてshort tailを把持し，⑥の青いサークルに運ぶ．long tailを持った右手持針器は⑥の対角線上の⑥'方向に引く．

● 2回目のhalf knot（図7；▶動画13）

　long tailを左手持針器に持ち替え，⑦の赤い半円に沿わせる．⑧の位置でlong tailを把持し，右手持針器の先を⑨の赤いサークルに置く．左手持針器を⑩の赤いサークルに運び，右手持針器で左手持針器を越えてshort tailを持つ．short tailは⑪の赤いサークルへ，long tailは対角線上の⑪'の方向へ引く．これでsquare knotが完成する．

42

2. 専用シート（Step'n Stepシート）を用いた結紮トレーニング

- slip knot（図8； ▶動画14）

　右手持針器で結び目の近くでlong tailを持ち直し，exit pointの反対側に引く．左手持針器で結び目とexit pointの間で糸を持ち，両手の持針器を間の糸を伸ばすように引くと結び目のロックが解除される．右手持針器はそのままに，左手持針器で緩んだ結び目をexit pointの方向にずらし，左手持針器で結び目を押さえたまま右手持針器でshort tailを引っ張って結び目を再びロックする．

■ 失敗しやすい操作（▶動画15）

　右手持針器で把持したlong tailを左手持針器に巻きつけようとするとき，中心線を跨いで赤いサークルに右手持針器を運びがちだが，持針器が交叉すると左手持針器が右手持針器でブロックされる形になり，右手持針器を越えてshort tailを取りにいけなくなる．long tailを持った右手持針器は中心線を越えない青いサークルの位置に持っていく．

　C-loopが外に寄り過ぎたり，内に寄り過ぎたりすると両手の動きが複雑になる．これまでの操作では，1つステップを進めるためには左右どちらかの持針器が順番に動けばよかったが，C-loopが左右にぶれると，1つのステップに両手持針器が同時に動くことが求められるようになる．また，co-axialセッティングの観点にも外れる動きが求められることになる．

■ 実臨床に向けての空中操作（▶動画16）

　Step'n Stepシートではまずシート上のラインやサークルに糸や持針器を置いてトレーニングを開始したが，実臨床では本シートのようなフラットな面はない．慣れてきたら，シートの図を見ながら，糸や持針器を浮かせて空中でsquare knotを行う練習をする．繰り返しその操作を行うことで，肩甲骨・肩・肘・手首・指の各部位がそれぞれの動きとリズムを覚えてくる．

　short tailの端を持針器でつかむとき，長いと持針器の移動距離も長くなり，2D画面では持ち損ねることもある．一方，knotに近い部位でshort tailを把持してしまうとknotにloopができてしまうことがあり，knotを重ねる際にトラブルが起きる．さらに連続縫合やいくつかの縫合・結紮を1本の糸で繰り返し行う場合にも，使える糸の長さの計算が立たなくなる．やはりshort tailの長さは撚り糸では2～3cmに留めておくのがよい．モノフィラメントやナイロン糸のような硬い糸ではloopが大きく残りやすいので，初めからshort tailは長めに設定する．

■ overwrap/underwrap法によるsquare knotのトレーニング

　空中でのoverwrap/overwrap法によるsquare knotが滑らかにできるようになったら，overwrap/underwrap法によるsquare knotのトレーニングを行う．

　long tailを青いC-loopに添わせて最初のhalf knotを作成したら，右手持針器でlong tailを持ったまま，再びshort tailのある左半分にある青いC-loopに重ねるように移動させる．このとき，short tailを把持していた左手持針器に被せるようにlong tailを置く．long tailのloopを左手持針器の先に巻きつけ（左手持針器でloopをすくい），再び左手持針器でshort tailを取りにいくとsecond half knotができる．さらにlong tailをそのまま青いC-loopに重ねて最初のhalf knotと同じ動きをすれば，次なるsquare knotを重ねるこ

とができる[▶動画17（音声なし）].
　overwrap/underwrap法では，2回目のknotからは，long tailのloopは常にshort tailの近くで，すなわちshort tailが残っている左半分のスペースでloopを作る．すなわち，short tailの近くでloopを作ることにより，short tailを取りにいく左手持針器の動きは小さくてすみ，右手持針器はloopを把持したまま何もしなくてよい．2回目のloopをshort tailから遠い右半分のスペースに置いたままだと，左手持針器が遠くからshort tailを取りにいくことになる．右手持針器が同時に追いかけていかないと，loopが左手持針器からすり抜けたり，持針器に巻きついて縛ってしまうことになる[▶動画18（音声なし）].

3. 糸結び，縫合

a. square knot/surgeon's knot

1 基本手技

結紮法の種類
外科手術で主に使用される糸の結紮法は以下の通りである．
① square knot（opposite half knots，男結び）：1回目のhalf knotと2回目のhalf knotが異なる向きになっており，それぞれの糸の断端が同じ平面上にある結び方で，緩みにくく強度が高い．後述するslip knotに変換して後から組織を締め込むことができる（図9a）.
② granny knot（identical half knots，女結び）：1回目のhalf knotと2回目のhalf knotの方向が同じ向きになっており，それぞれの糸の断端が同一平面上にない結び方．緩みやすく強度が低い（図9b）.
③ surgeon's knot（外科医結び）：1回目のhalf knotを二重巻きにして，それにsquare knotを追加した合計3回のhalf knotで構成された結び方で，緩みにくい（図9c）.
　このうち，内視鏡手術における体腔内結紮でよく使用される結紮法はsquare knotとsurgeon's knotである．ここではsquare knotとsurgeon's knotの基本的な手技を解説する．

square knot（▶動画19）
　基本的なsquare knotの結紮法は，サンフランシスコでMicrosurgery and Operative Endoscopy Training（MOET）Instituteのディレクターである Szabo 先生が提唱しているC-loop 法に準じている[1]．
　C-loop 法はC-loopを形成してoverwrapによりhalf knotを作製し，2回目のhalf knotは両手をスイッチしてまったく対称の操作を行ってsquare knotを作製する方法である．以下に概略を示す．
① すでに縫合が終了している場合，縫合針は画面に向かって左側に出ているので，まずこれを引き抜き手前に糸をたぐる．この際，針を把持したままたぐると針先が臓器に

3．糸結び，縫合

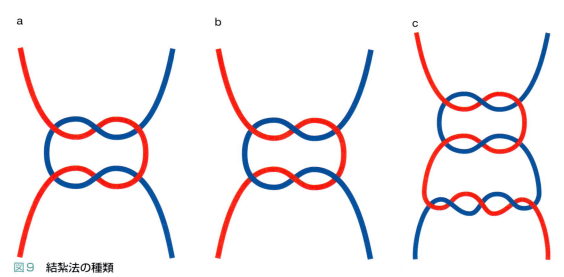

図9　結紮法の種類
a：square knot（opposite half knots，男結び），b：granny knot（identical half knots，女結び），c：surgeon's knot（外科医結び）

　　当たった際に，容易に臓器損傷をきたすので基本的には糸を把持してたぐる．また，臓器からの導出点にストレスが掛からないよう糸を引く方向に注意を払う．
② 針がついていない断端（tailもしくはshort tail）が右側に残るが，これを約3 cm残す．すると針がついている断端（long tail）が左側に位置する．
③ long tailが出ている方向と反対の手の鉗子（最初は右手持針器）で針糸の接合部から2 cm程度離れた部位，holding point（H-point）を把持する．H-pointを縫合部のすぐ手前で同一平面上に持ってくると，long tailがたわんでアルファベットの"C"の字のようになる．これをC-loopと呼ぶ．このC-loopをしっかり作ることが重要であるが，ポイントはH-pointを把持した鉗子をなるべく縫合部の近くに持ってくることである．また，糸が短くなってたわみが小さくなるとラッピングしにくくなるので注意が必要である．
④ C-loopができたら，空いている反対の手の鉗子（最初は左手の受針器）をloopの上に軽く置く．この際に先端が弯曲している鉗子の場合は，先端の向きを2時方向に向けて上げるとラッピングしやすい（図10a）．
⑤ 次いでラッピングを行う（overwrap）が，この際まず右手の鉗子をその位置のまま，約90°時計方向に旋回させる．そうすることで糸が上に凸にたわむため，この間隙を左手の鉗子ですくうと最小限の動作で巻きつけることができる（図10b）．
⑥ 次に，左手の鉗子でshort tailを把持し左方向に引き抜くとhalf knotができあがる．この際に左手だけでshort tailを把持しようとするとラッピングした糸に引っ張られてうまくいかないことがあるため，両手でshort tail近くまで鉗子を移動するとよい．またshort tailをあまり長く引っ張らないことも重要である（図10cd）．
⑦ 1回目のhalf knotが完成すると，今度は左側にshort tail，右側にlong tailが残る．2回目のhalf knotは上述の操作をまったく左右逆にして行う．すなわち，まず左手の鉗子でH-pointを把持してknotのすぐ手前に誘導し，左側に開いたC-loop（逆C-loop）を作る（図10e）．右手の鉗子をloopの上に置き，左手の鉗子を今度は反時計方向に90°

45

E　トレーニングの実際

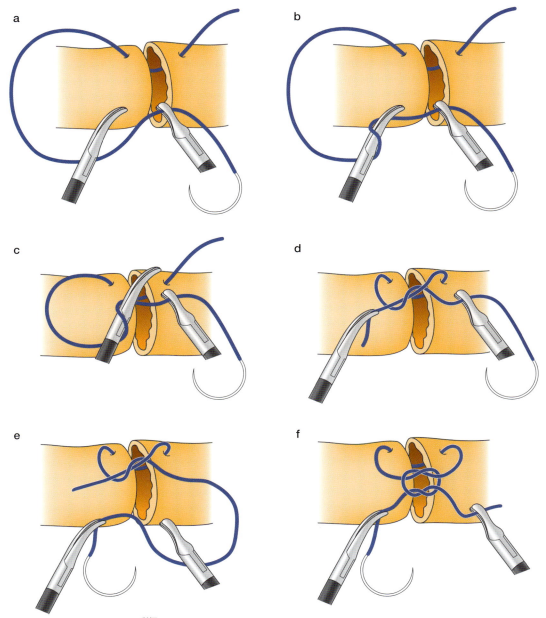

図10　square knotの手順

a：long tail が出ている方向と反対の手の鉗子（最初は右手持針器）で針糸の接合部から2cm程度の部位の糸（H-point）を把持する．H-point を縫合部のすぐ手前で同一平面上に持ってくると，long tail がたわんで C-loop ができる．C-loop ができたら，空いている反対の手の鉗子（最初は左手の受針器）を loop の上に軽く置く．
b：左手の鉗子の周りに糸を巻く（overwrap）．
c：左手の鉗子で short tail を把持しにいく．この際，左手だけで取りにいくとラッピングした糸に引っ張られてうまくいかないことがあるため，両手で short tail 近くまで鉗子を移動するとよい．
d：左手の鉗子で short tail を把持し左方向に引き抜くと half knot ができあがる．
e：2回目の half knot は上述の操作をまったく左右逆にして行う．すなわち，まず左手の鉗子で H-point を把持して knot のすぐ手前に誘導し，左側に開いた C-loop（逆 C-loop）を作る．
f：右手の鉗子を loop の上に置き，右手の鉗子に糸を巻きつける．そのまま右手の鉗子で short tail をつかんで引き抜く．こうすることで square knot が完成する．

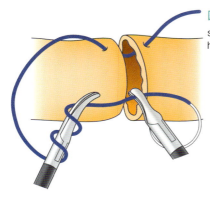

図11　surgeon's knot
square knotの1回目のhalf knotを二重巻きすなわちdouble half knotにする結紮法である．

旋回させて糸を山なりにたわませ，右手の鉗子に巻きつける．そのまま右手の鉗子でshort tailをつかんで引き抜く．こうすることでsquare knotが完成する（図10f）．slip knotに変換する場合には，組織を最初から締め込まず，わざと緩ませておくとよい．

⑧ 本法ではC-loopをしっかり作ることが最重要である．またH-pointを把持している鉗子はなるべく縫合部と同一平面上に置き，宙に浮いた状態にならないようにすることが大事である．鉗子が宙に浮いてしまうとループが伸びてしまい，うまくラッピングができない．

surgeon's knot（▶動画20）

surgeon's knotは1回目のhalf knotを二重巻きすなわちdouble half knotにして，その上にsquare knotを追加する合計3回のhalf knotで構成される結紮法である（図11）．基本的には，前述したC-loop法の応用である．この際に注意することは，

① 1回目のラッピングをした後，その糸が抜けないように左手の鉗子を大きく動かさず，鉗子の先端を地面につけた状態で2回目のラッピングの準備をすること，すなわち2回目のラッピングの際にもH-pointを把持した右手の持針器を時計方向に90°旋回して糸を上に凸の状態にたわませてラッピングすることである．ラッピングの際にH-pointを把持した鉗子を動かして「巻きつける」という意識が強過ぎるとうまくいかないことが多い．

② surgeon's knotは基本的にはslip knotで後から締めつけることはしない（緩んでしまった場合には緊急避難的にslip knotに変換することも可能）ので最初からしっかり組織を締め込む．

③ 2回目のhalf knotを作る際にknotにテンションを掛けてしまうとknotが緩んでしまうため，鉗子の動きを最小限にしてknotにテンションが掛からないよう気をつける．

以上，基本的な結紮法の中でも最も基本的な手技であるC-loop法と，そのC-loopを用いたsurgeon's knotの結び方を概説した[2]．これらの手技はこの後の様々な結紮法の基本であり，確実にスムーズに施行できるようになるまで繰り返し練習することが必要である．

2 thumbs up法

　内視鏡下における結紮の基本的タスクは，まずよいC-loopを形成することに始まる．その上で，鉗子に糸を巻きつけることでhalf knotを完成させる．このタスクを困難な手技と感じる理由には「鉗子にうまく糸が巻きつけられないこと」と「巻きつけた糸が抜けてしまうこと」が挙げられる．これは二重にループを巻きつけるsurgeon's knotでより困難となる．

　これを解決するのがthumbs up法である．thumbs upとは「親指を挙げる」ことで，持針器のjawを挙げて結紮を行うテクニックである．

　thumbs up法のメリットは，①自然なtouch confirmation，②結紮糸のコントロール，③ループの抜け落ち防止，である．

　二次元モニター上で遠近感を認識して手術操作を行うには，まず対象物に触って位置関係を認識するtouch confirmationを行う．縫合・結紮では針や糸を扱うため，通常の鉗子操作に比べてより繊細な遠近感の把握が必要となる．

　開いたjawの背中で糸をコントロールして結紮を行うthumbs up法では自然なtouch confirmationが得られるというメリットがある．

　開いたjawで糸を引っ掛けるようにコントロールすることによって，結紮に必要なループが容易に形成される．

　鉗子に巻きつけたループの抜け落ちは，jawを開けることによって防げる．特にループを二重に巻きつけるsurgeon's knotではthumbs up法は非常に有効となる（図12；▶動画21）．

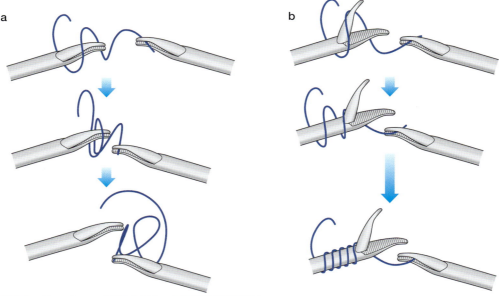

図12　thumbs up法によるループの抜け落ち防止
a：jawを開けずにループを巻きつけると抜けることがある．
b：jawを開けることでループは何重に巻きつけても抜けない．

図13 巻き取る(a), 巻きつける(b)

a：左鉗子で巻き取るイメージとなる．b：右鉗子で糸を巻きつけるイメージである．

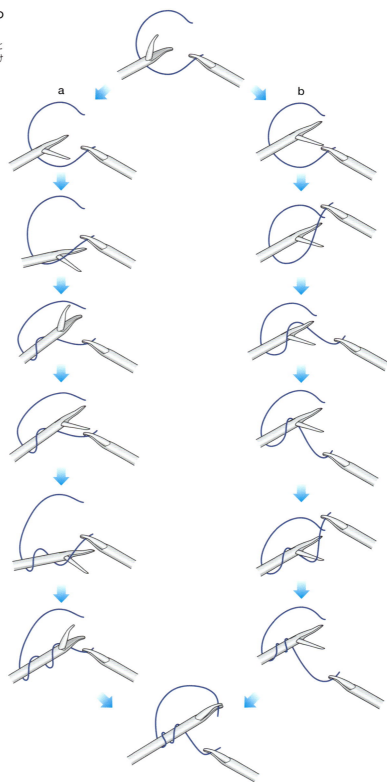

E　トレーニングの実際

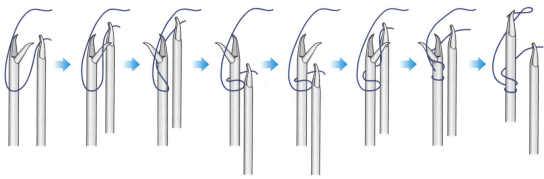

図14　パラレルな結紮
トロッカー間隔が極端に狭い状況下の結紮では，thumbs up法が威力を発揮する．

　　jawを開けることによって，巻きつけたループは抜けず，安心してshort tailを取りにいける．単にjawを開けるだけで結紮は驚くほど容易になる．
　　thumbs up法には，「鉗子で糸を巻き取る方法」（▶動画22）と「鉗子に糸を巻きつける方法」（▶動画23）がある（図13）．左鉗子で巻き取る結紮では，開いたjawの背中で糸をすくいとるように巻き取る．右鉗子で糸を巻きつける方法では，開いたjawを滑るようにループは自然に巻きついていく．
　　ポート同士の距離が近い場合や，横隔膜下など術野がポートから遠い場合には，左右の鉗子角度が鋭角になってしまい，鉗子に糸を巻きつける操作が困難となる．thumbs up法では鉗子間隔が狭く，ほぼ平行になった状態でも結紮が可能となる（図14；▶動画24）．通常の結紮法ではこのような角度の結紮は困難である．

3　P-loop法

　　腹腔鏡下結紮の理論ではC-loop法がgold standardといわれ広く普及している．すでに他項にて解説されているが，C-loop法は左右の鉗子が入れ替わり結紮の軸になり，それぞれに鉗子の上から巻きつけるoverwrapを行うことでsquare knotを行う方法である．C-loop法においては左右の鉗子を同程度に動かす必要があり，左右の鉗子の協調性を磨くトレーニングとしては極めて有用と考えられる．ところが骨盤深部を扱う手術（ワーキングスペースが狭い手術）においては，広いスペースが必要なC-loop法は適応しにくい場合がある．そこで，ワーキングスペースが狭い場合に有用なP-loop法を紹介する．
　　筆者らは図15で示されるようなポート配置で手術を行うため，右手で持った持針器が下腹部正中のポートから患者に対し垂直方向に挿入されることとなる点に留意してほしい．

手技の実際

　　P-loop法を子宮動脈の結紮の写真（図16）を用いて解説する．
① 糸のloopの頂点を持針器で引っ張る（図16①）．ここで重要なことは，結紮操作に使用できる糸は糸の頂点（★）から把持鉗子で持っている場所（■）までであることを認識することである．

3. 糸結び，縫合

図15 ポート配置

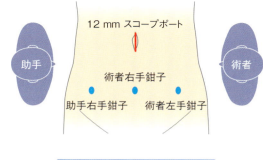

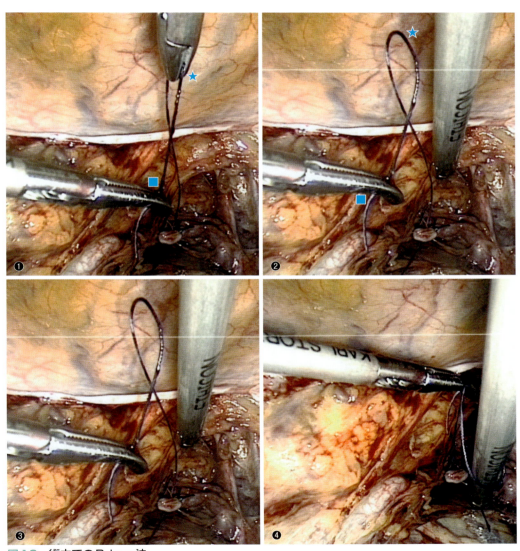

図16 術中でのP-loop法
①糸を持針器で引き込み癖づけする（糸を立てる），②糸と持針器（結紮の軸）が平行になっている，③under-wrapで糸を持針器に巻きつける，④short tailを持針器で把持する様子．

E　トレーニングの実際

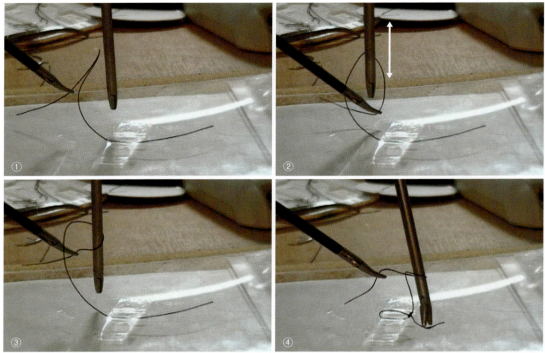

図17　トレーニングボックスでのP-loop法
①long tailを垂直に立て，結紮軸（持針器）にほぼ平行にする．
②補助鉗子（左手）を回し込み，軸にlong tailを巻きつける．このときに持針器にピストン運動を加えることで，補助鉗子との干渉が少なくなる．
③，④long tailを持針器に回し，short tailを把持し，結紮を完成させる．

②★から■までが結紮の軸である持針器に平行になっている（図16②）ことに注目してほしい．このようにlong tailを持針器（結紮の軸）に平行にすると巻きつけることが容易となる．
③持針器（結紮の軸）に巻きつけている（図16③）．この図はunderwrap（軸に下から巻きつける）を行っているが，実際にはoverwrap（軸に上から巻きつける）の方が行いやすい．このときの持針器（結紮の軸）に微妙に出し入れを行う動き（ピストン様運動）を加えることで，補助鉗子とぶつかることなく持針器にlong tailを巻きつけることが可能となる．
④short tailを把持し結紮する（図16④）．

この結紮法ではlong tailが"P"（C-loopを立てた状態）になるため，P-loop法と命名した．トレーニングボックスでの結紮でP-loop法を再度解説する（図17；▶動画25）．
①long tailを結紮軸（持針器）に平行にする．この操作がP-loop法における最大のコツである．
②左手の鉗子を円を描くように動かし，long tailを持針器に巻きつける．このときに持針器を微妙に出し入れすることで（ピストン運動），左手の鉗子と干渉なくlong tailを巻きつけることが可能となる．
③，④short tailを把持し結紮は完成するが，short tailを持針器で把持するときに，持針

器の動きに合わせて左手の補助鉗子もshort tailの方向に動かすと，持針器に巻きつけたlong tailが抜け落ちることなくshort tailを把持することが可能となる．

これら縫合・結紮の動きをトレーニングボックスを用い練習することで，縫合・結紮の技術の向上のみでなく，腹腔鏡下手術で最も重要なhand-eye coordinationを構築，洗練することが可能となる．

b. slip knot法

square knotとslip knot

開腹手術においても，結紮を行う際にknotに余計なテンションを掛けてしまい，knotが緩んでしまったという経験はよくあると思うが，内視鏡手術における体腔内結紮の際にknotに余計なテンションを掛けずに結紮することは非常に難しい．knotの緩みを極力防止するための方法としてsurgeon's knotを利用するが，このslip knotも緩みのない結紮を行うテクニックである[1]．内視鏡手術独特のテクニックであったが，現在では逆に開腹手術の際の結紮にも応用されている．slip knot法の特徴は，まずknotを作っておいてから組織を締め込む方法であり，応用性が非常に高く，筆者はほとんどすべての結紮の際に用いている．そのテクニックの概要を説明する前に，square knotとslip knotの関係について解説する．

図18のようにsquare knotは片方の糸を直線的に引っ張ることにより，1本の糸に他方の糸が絡みついたような結び目に変換することができる．この結び目は直線的に引っ張った糸を"レール"に見立ててその"レール"の上を自由に滑らせることができるため，これをslip knotと呼んでいる．そしてsquare knotをこのようなslip knotの形に変換することをslip knot conversionと呼んでいる．square knotとslip knotは互いに違った結紮法ではなく，同じknotの変形である．またgranny knotの場合は片方の糸を直線的に引っ張ってもこのような滑るknotにはならないため，slip knotに変換することはできない．

slip knot法の注意点

slip knot法はsquare knotの変形であるため，square knotを作るところまではまったく同じテクニックである．C-loop法ではできあがったknotは必ずsquare knotになるが，その他の方法の場合，特に糸を持ち替えないで結紮を行う手技の場合は1回目のhalf knotと2回目のhalf knotのラッピングの向きを変えないとsquare knotにはならないので注意が必要である．

図18　square knot(a)とslip knot(b)

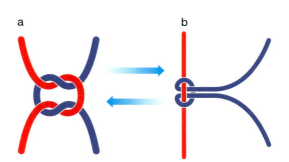

また最初からslip knot法を企図して結紮を行う際には，square knotを作る際に以下の点に注意する必要がある．すなわち，knotが組織に接着するほど締め込まれていると，slip knot conversionを行う際に糸をうまく直線的に引っ張ることが困難になることがある．そのため組織の締め込みは行わず，knotが組織から浮いた状態にして組織とknotの間に鉗子が入るスペースを確保しておくことが重要である．またknotをきつく結んでしまうとうまく変換できなくなってしまい，糸を切ってしまう原因にもなる．そのためknotのきつさは軽く抵抗がある程度に留めておいた方がよい．さらには使用する糸の素材も重要である．基本的にうまく行えばどんな材質の糸でもslip knot法は可能であるが，モノフィラメント糸の場合はslip knot conversionを行うと糸がダメージを受けやすく切れてしまうため，本法に慣れていない初心者は避けた方がよい．また絹糸はknotがきつくなってしまいがちで変換が困難になることを念頭に置いてトレーニングする．slip knot法の習得には，バイクリル（ジョンソン・エンド・ジョンソン社）やポリゾーブ（メドトロニック社）のような吸収糸の編み糸が最も適している．

実際の手技（▶動画26）

実際の手技について解説する．

① まず前述のようにsquare knotを作製すると，向かって左側にlong tail，右側にshort tailが残った状態になっている．このとき，long tailと連続性がある糸は，針が導出された点から出ている糸である．そこで，long tailを左手の受針器で把持し，垂直やや左側に軽く引っ張る．

② 右手の持針器で導出点から出てknotに続いている糸を把持し，左手で持った糸と一直線になるように下に引っ張る（図19a）．

③ そうすると，square knotがslip knotに変換される．この際クリックを感じたり，視覚的に変換した瞬間がわかることもある．

④ 次に，左手で把持したlong tailの糸のテンションを保ったまま右手の持針器のjawの股（要）の部分にknotを押し当て，左手で糸を引くのと同時にknotを導出点に向かって押し下げる（図19b）．

⑤ こうすることで，knotが滑って組織の締め込みができる．この際に，右手の持針器のjawを完全に閉じてknotを滑らせようとすると，糸を傷つけてしまい思わず切断されてしまうこともある．持針器のjawは軽く開いたままでしっかり股の部分にknotを押し当てれば力を入れなくてもスリップさせることができる．また左手でlong tailのテンションを常に保っておくことも重要である．この糸が緩んでいるとknotは絶対に滑らない．

⑥ knotが適度に締め込まれたところでlong tailのテンションは保ったまま，右手の持針器でshort tailを把持し，左右に180°開いて両方のtailを引っ張る．こうすることでknotが再度square knotに変換され，ロックをかける．これを怠るとknotはslip knotのままなので，緩んでしまうことがあり注意が必要である．

以上がslip knot法の詳細である．いくつか基本的な注意すべきポイントを前述したが，さらに細かなポイントをいくつか紹介する．

まずknotの位置が導出点から離れた位置にあると，締め込んでいった際に徐々にlong

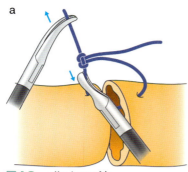 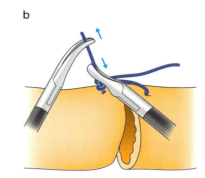

図19 slip knot法

a：long tailを左手の受針器で把持し，垂直やや左側に軽く引っ張る．右手の持針器で導出点から出てknotに続いている糸を把持し，左手で持った糸と一直線になるように下に引っ張るとロックが解除され，slip knotに変換される．
b：左手で把持したlong tailの糸のテンションを保ったまま右手の持針器のjawの股（要）の部分にknotを押し当て，左手で糸を引くのと同時にknotを導出点に向かって押し下げる．こうすることで，knotが滑って組織の締め込みができる．

tailが直角に屈曲してくる．そうなるとスリップしにくくなってきて最後に思った強さまで締め込むことができない．そのような場合は，あらかじめ，刺入点～knot～導出点の糸のloopを反時計方向に回転させ，knotを導出点に近い位置まで移動させておくとよい．こうすることで「導出点～knotの長さ」＜「刺入点～knotの長さ」となり，long tailをより直線的に引っ張ることができる．

またslipさせる際に，knotを押し下げることにばかり気を取られているとlong tailにしっかりテンションを掛けることを忘れてしまいがちになる．knotを押し下げるのと同時に同じ力でバランスよくlong tailにテンションを掛けることが重要である．この両方の力がアンバランスになると糸が切断されたり，組織を裂いてしまったりすることになる．

直接slip knot法

モノフィラメント吸収糸を使ってslip knotを行う際には，いったんsquare knotを作ってからslip knotに変換させると糸のダメージが大きくなってしまい，切断されることがあることは先に述べた．これを回避する方法としてsquare knotを経由しないで最初から直接slip knotを作製する方法がある．この方法について概説する．

① 先に述べた方法にてsquare knotを作製する際，2回目のhalf knotを作製するときに，knotを締める前に左手の受針器でlong tailを引っ張ってテンションを掛けた状態にしておく．
② 左手のテンションを保ったままknotを軽く締め込んでいくと，square knotにならずに最初からslip knotの形にknotが形成される．
③ この後は先のslip knot法と同様に，左右の手でバランスよくknotを押し下げて組織の締め込みを行う．モノフィラメント吸収糸を使用した場合は，合計4回以上のhalf knotを重ねる必要がある．

以上，slip knot法に関して，knotの特徴から実際の手技について説明した．slip knot法は非常に有用で，応用範囲が広い手技である．実際の臨床においては筆者はほぼすべて

の結紮に本法を使用している。糸をスリップさせる際には決して力を入れる必要はなく，力を入れるとかえって組織を損傷したり，糸を切断させたりしてしまう。繰り返し練習しスムーズにスリップさせる感覚を覚えることが重要である[2]．

c. overwrap/underwrap（▶動画27）

先の項では，C-loop法によるsquare knotの結び方を解説した．C-loop法は結紮法を確実に習得するトレーニング法としては非常に有用であるが，糸の持ち替えを伴うため時間がかかるという欠点がある．ここでは糸を持ち替えずにsquare knotを作る方法を紹介する．

① まず，通常通りの縫合を行って針を抜き，糸をたぐる．この際short tailはC-loop法と同様に約3 cm残しておく．

② 次いで右手の持針器にて糸を把持してC-loopを作製し左手をloopの上に置き，ラッピングを行う(overwrap)．short tailを左手の受針器にて把持し，引き抜くとhalf knotが完成する．ここまではC-loop法とまったく同じである（図20a）．

③ 次いで，右手の持針器で把持したlong tailを離さずに再びknotの近くに持ってくる．

④ 今度は左手の受針器をloopの下に入れる．この際にloopのたわみを下に凸の形になるように右手の持針器を反時計方向に旋回させる（図20b）．

⑤ loopの下から左手の受針器の周りに糸をラッピングさせ(underwrap)，short tailを把持して引き抜くと，square knotが完成する．

long tailを把持する手は，右手でも左手でもどちらでも構わない．左手で把持する際は，最初のloopがSの字にたわんだS-loopになるように持っていくことが大事である．また

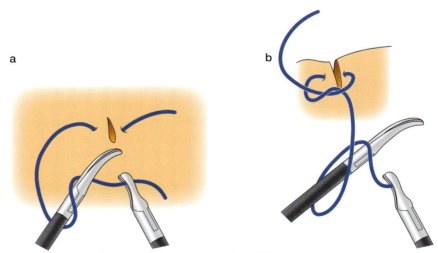

図20 糸を持ち替えずにsquare knotを作る方法
a：右手の持針器にて糸を把持してC-loopを作製し左手をloopの上に置き，ラッピングを行う(overwrap)．short tailを左手の受針器にて把持し，引き抜くとhalf knotが完成する．ここまではC-loop法とまったく同じである．
b：今度は左手の受針器をloopの下に入れる．この際にloopのたわみを下に凸の形になるように右手の持針器を反時計方向に旋回させる．

3．糸結び，縫合

knotに過度のテンションが掛かると，short tailが動いてしまい，把持する際に難渋することがあるため，なるべくknotにテンションを掛けないようにラッピングは極力knotの近くで操作することが重要である．

d. 連続縫合（▶動画28・29）

連続縫合のトレーニングを行うにあたり，筆者らは薄手ゴムシートを使用して直径3 cm，高さ3 cm程度の円筒を作製している．円筒は平らなゴムシートの中央に立てて固定し，上端開口部の連続縫合による閉鎖をタスクとしている．縫合の方向は実際の手術をシミュレーションし決定する．本項では縦方向の連続縫合のトレーニングを提示する．

筆者らが標準的に行っている連続縫合の際，心掛けているコツは下記の3点である．
① 縫合線と面の制御
② 手前から奥への運針
③ 4拍子の運針

以下にそれぞれのコツについて解説する（図21，図22）．

縫合線と面の制御

運針を容易に行うために，縫合線と面の制御が必要である．このため連続縫合に先立ち，縫合線奥の終点に1針支持糸を掛け結び，これを助手が適切な方向に牽引する．適切な方向とは，術者が操作する右手持針器のシャフト軸に，縫合する組織の線と面を近づけることである．術者の左手で牽引する連続縫合の糸と，助手が牽引する支持糸の2ヵ所で縫合面と縫合線軸を調整することで，正確で迅速な運針が実現できる．支持糸は，最後に連続縫合の糸と結ぶためにも使用する．

手前から奥への運針（図21a，図22a）

手前から奥に向かって運針する主な理由は，縫合線奥の終点に掛けた支持糸を制御する助手の鉗子と術者の鉗子が交差しないようにすることである．

4拍子の運針

連続縫合時の針の持ち替えによるタイムロスを減らす目的で，筆者らは次のような4拍子の運針を提唱している[3]；stitch→catch→switch→stretch．

- stitch（図21b，図22b）

右手持針器により組織に針を刺入する．最初は連続縫合の下端knotのshort tailを左手鉗子で牽引し，縫合面の方向や運針時の抵抗を制御する．

- catch

左手鉗子で組織から導出した針先を把持し（図21c，図22c），角度を変えないように針を組織から引き抜く（図21d）．この時点で糸が長い場合はいったんある程度糸を牽引しておく（図21e，図22d）．

- switch（図21f，図22e）

左手鉗子で把持している針をそのまま角度を変えずに右手持針器に受け渡すことによ

E　トレーニングの実際

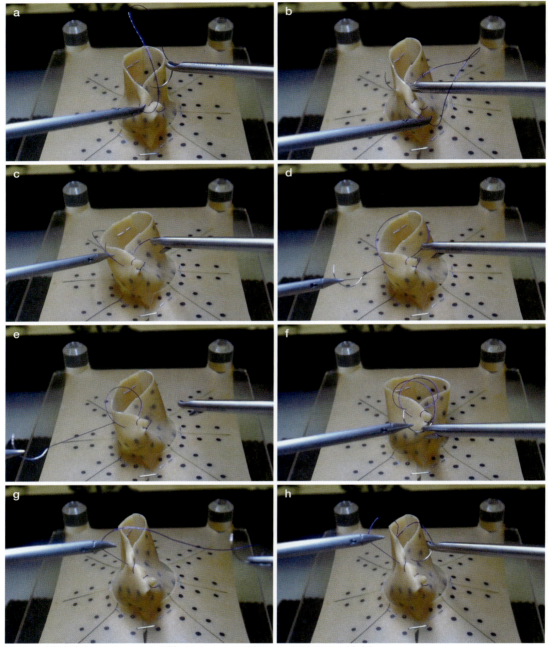

図21　連続縫合のトレーニング（ゴムシートを利用した円筒断面の縫合）

a：縦方向で手前から奥に運針する．左手鉗子で導出点に近い部位で縫合糸を牽引し，運針中の縫合線方向や面をコントロールする．
b：4拍子のstitchに相当するaction．針が組織を貫く．
c：左手鉗子で組織を貫通した針の先端付近を把持する．4拍子のcatchに相当する．
d：左手鉗子で針を導出する．針の向きが変わらないように注意する．右手持針器は針から離れ，糸が絡まないようにケアする．
e：左手鉗子である程度糸を牽引しておく．この際も針の方向が変わらないように注意する．
f：左手鉗子から右手持針器への針の受け渡し．針の向きがおおむね変化していないので迅速に右手鉗子で針を直角に把持することができる．4拍子ではswitchに相当する．
g：左手鉗子で縫合糸の組織導出点付近を把持・牽引し，最終的に縫合糸を締める．4拍子ではstretchに相当する．
h：左手鉗子で引き続き縫合糸の牽引方向・強さを調整し，右手持針器による次の運針を補助する．

3. 糸結び，縫合

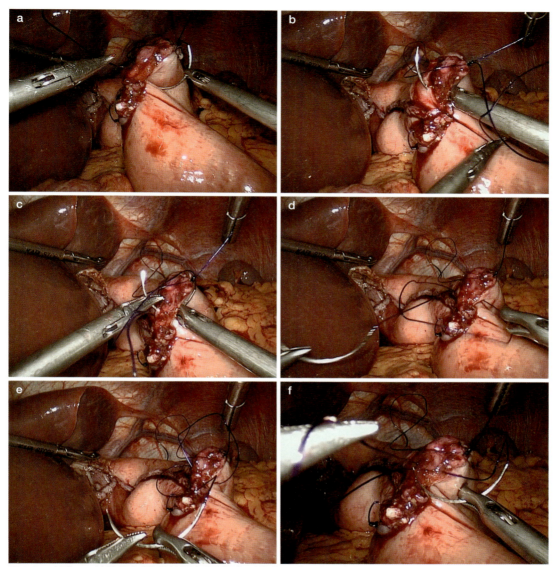

図22　実践での連続縫合（腹腔鏡下幽門側胃切除術後の残胃空腸吻合における自動縫合器挿入孔の閉鎖）
a：左手鉗子による縫合糸の牽引と右手持針器による運針の開始．
b：stitch．左手鉗子により縫合糸の牽引の強さと方向をコントロールし運針を補助する．
c：catch．組織を貫通し導出された縫合針の先端付近を左手鉗子で把持する．針の向きが変わらないように注意する．
d：左手鉗子で把持した針を牽引し，ある程度糸をたぐっておく．
e：switch．左手鉗子から右手鉗子に針を受け渡す．この際針の向きが変わっていないのでロスタイムなく良好な角度で針を把持できる．
f：stretch．左手鉗子で縫合糸を再び把持し牽引することで，次の運針に向かう．

り，迅速に適切な角度で針を把持する．

• stretch（図21gh，図22f）

　左手鉗子により縫合糸を牽引し，糸を最終的に締める．連続縫合最初の2，3針では縫合糸が長いため，左手による牽引1回では締めきれないこともある．左手牽引を効率よく行うため，縫合糸の適切な点の把持も重要である．左手による牽引は糸を締める以外にも，縫合線の緊張や方向の制御に重要である．組織導出点から遠過ぎると正確な制御が行えな

e. loop法および体外結紮法

ループ針による連続縫合法(▶動画30)

内視鏡手術用ループ針(図23)とスーチャークリップ(ラプラタイ：ジョンソン・エンド・ジョンソン社，図24)を使った，結紮を省いた連続縫合法を紹介する．筆者が開発したループ針(アルフレッサ社)は22 mmか25 mm径の半円針に25 cmの絹編み糸か吸収糸(ループ長12.5 cm)を組み合わせたものである．

1針目の針を抜いた後に，持針器の先端に輪をくぐらせてから針を把持し，ループをロックする(図25a～c)．

2針目からは連続で縫合していく(図25d)．縫合の最後はスーチャークリップを専用アプライヤーに装填して，ループの2本の糸を同時にクリップする(図25e)．

専用の糸針とスーチャークリップを揃える必要があるが，結紮に要する時間と手間を省略できることが最大の長所である．腸管吻合や腹膜縫合などに有効なほか，組織のちょっとした孔を縫合閉鎖する場合や，支持縫合を置いて臓器を吊り上げるときなどにも大変便利である．また，不意の術中出血で損傷血管に対して止血縫合をする場合，1針掛けループをロックした後，糸を持ち上げてテンションを掛けることでひとまずの止血が得られ，仕上げの縫合に落ち着いた対応ができるだろう．他にも応用の利く方法である．

体外結紮法

体外結紮法は十分に長い糸針を用いて結紮をトロッカー外で行い，knotを体腔内に送り込む方法である．胸腔鏡下手術では好んで用いられるが，腹腔鏡下手術においても体腔内結紮が困難な深く狭い術野などで非常に有効である．ただ，腹腔鏡下の体外結紮はトロッカーの減圧防止弁によって縫合部に張力が掛かりやすく，胆管や血管などの繊細な組織の縫合には不向きである．多少引っ張られても大丈夫な消化管の漿膜筋層縫合や腹膜組織などは大変よい対象となる．合成樹脂製のメッシュ素材を体腔内に縫いつけるときなどにも効果を発揮できる．

単結紮を1回ずつ送る方法と，一度締めたら緩まない，いわゆるslip knotを体外で作り，それを送る方法について述べる．

体外結紮法を行うには，体外でknotを作るのに十分な長さの糸がついた糸針とknotを体腔内に送り込むノットプッシャーが必要となる．胸腔鏡下手術でよく用いられる先端がU字やV字形状のノットプッシャーではトロッカーのガス弁のところでしばしば糸が外れてknotがうまく送れない．この場合，先端が閉じたO字形状のノットプッシャーが便利である．筆者が開発したO字型ノットプッシャー(図26)は孔の大きさが2種類あり，大きい方は単結紮用，小さい方はslip knot用に使用する．ともにknotをストレスなく送ることができる．

3. 糸結び，縫合

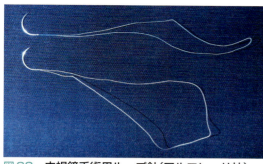

図23　内視鏡手術用ループ針（アルフレッサ社）

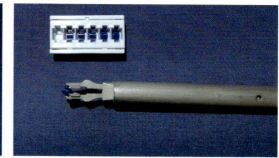

図24　ラプラタイスーチャークリップとアプライヤー（ジョンソン・エンド・ジョンソン社）

図25　ループ針による縫合
a：ループ針で縫うところ
b：持針器にループをくぐらせる
c：ループをロックする
d：連続縫合を終えたところ
e：結紮の代わりにスーチャークリップを用いる

縫合・結紮手技トレーニング

61

E　トレーニングの実際

図26　O字型ノットプッシャー
孔のサイズが大小ある．

- 単結紮法（▶動画31）
　縫った後の糸を同じトロッカーから腔外に引き出し（図27a），体外で1回knotを作って（図27b），糸の片端をO字型ノットプッシャーのOの輪に通し（図27c），糸端を小さな鉗子で留めておく（図27d）．両端の糸を左手で持ち，右手でノットプッシャーを操り，knotを体腔内に送り込む（図27e）．1回目のknotは緩みやすいが，2回目も同じ糸結びで女結びとすればうまく締められる．2回目以降のknotは腔外に引いてきたノットプッシャーの近位側で結紮することになるが（図27f），糸端を留めた鉗子がノットプッシャーの抜けを防ぎ，かつその重みで生じる片糸の張りが片手結びを簡単にしていることに気づくだろう．knotを締めるときにノットプッシャーだけをグイグイと強く押し込んではいけない．万一，糸が切れたときに勢い余って臓器を刺す恐れがある．結紮点の向こう側にノットプッシャーの先端の位置を保ち，左手の両糸の引き方で締め具合を調節するのが安全な方法である．

- slip knot法（▶動画32・33）
　ネイティブアメリカンの投げ縄のように，一度締まったら緩まないknotを体外で作る方法である．いろいろな結び方が知られているが，有名なRoeder knotを簡単にアレンジした方法を紹介しよう．この方法を一つ覚えておけば十分である．
　左の中指を軸にして示指側を上糸（図28では赤糸），環指側を下糸（同じく黄糸）と呼ぶことにする．まず，knotを1回作る要領で下糸を上糸に絡める（図28a）．下糸をもう1回上糸に絡めて下糸端を上に持っていく．次に両糸の下に下糸端を通す（図28b）．同じ向きに両糸の周りを下糸端でぐるぐると巻きつける（図28c）．ここで左示指が巻きつけた糸を押さえるために使われる．3，4回巻きつけたら下糸端を最初のknotの輪の上から輪に通す（図28d）．両糸端を左右の手にとり，knotを締める（図28e）．knotを整え，下糸の余りを切り落とす（図28f）．上糸端をノットプッシャーの輪に通しslip knotを送り込む．糸を適度に引きながらノットプッシャーを押してknotを徐々に締めていく．動画ではslip knotの作り方とともに，トレーニングボックスを用いたslip knot法を紹介している（図29）．
　一方向にしか進まず，締まったら決して緩まない特徴は，実質臓器の止血などにも応用できるだろう．
　slip knot法はknotの作り方に慣れると，かなり短時間で縫合・結紮が行えるようになる．単結紮を何度も繰り返すよりも手術時間を短くできるはずである．マジックのような流れる手つきでslip knotを作って，単調な内視鏡手術に辛抱強くつきあってくれるスタッフを喜ばせよう．

62

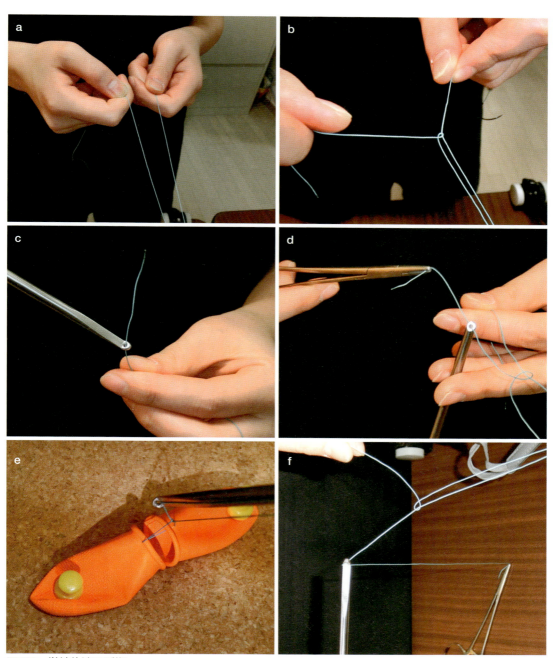

図27 単結紮法の手順

a：ボックス外に引き出した糸を左右の手で把持する，b：knotを作る，c：一方の糸端をO字型ノットプッシャーの孔に通す，d：通した糸端を鉗子で留めておく，e：ボックス内にknotを押してきたところ，f：2度目以降はこの方法で結紮する．

E　トレーニングの実際

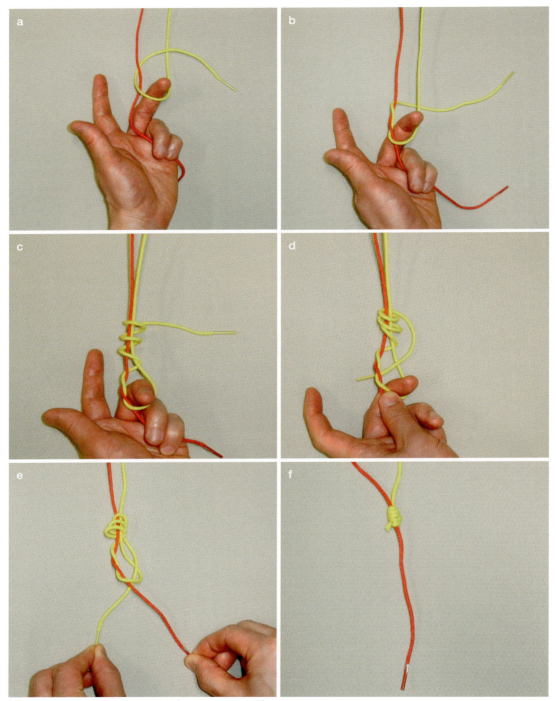

図28　Roeder knotをアレンジしたslip knot法
a：左手の中指に回した下糸（黄色）を上糸（赤糸）に絡ませる，b：もう1回絡ませた下糸端を両糸の下に通す，c：3，4回巻きつける，d：下糸端を最初に作ったknotの輪に通す，e：両手を使ってそれぞれの糸端を引く，f：下糸端を切ってslip knotの形を整える．

3．糸結び，縫合

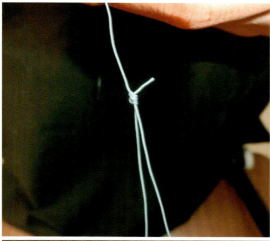
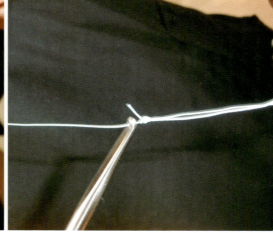

図29 slip knot法のボックストレーニング
細孔のノットプッシャーを使っている．

文　献
1) Cuschieri A, Szabo Z : Tissue Approximation in Endoscopic Surgery, Isis Medical Media, Oxford, UK, p42-67, 1995
2) 内藤　剛ほか：消化器手術に必要な腹腔鏡下縫合結紮手技．消外 **31**：1299-1304, 2008
3) 金平永二ほか：幽門側胃切除術後再建Billroth I法手縫い．臨外 **70**：220-225，2015

F ロボット支援手術における縫合・結紮操作練習

　ロボット支援手術の鉗子は多関節を持ち自由度が高いため可動性に優れ（540°），人間の手指の動きに近い鉗子操作を可能とした．さらにハイビジョン下で見える立体的視野は肉眼に近く，開腹手術とほぼ同様の感覚でストレスのない手術操作が可能となった．これらの手術用ロボット技術の進歩により，従来の腹腔鏡下手術のデメリット（平面画像や鉗子の動作制限など）が克服されたことで，縫合・吻合・結紮などの手術の基本操作の習得にかかるラーニングカーブが大幅に短縮された．

　しかし既存の手術用ロボットは触覚を搭載しておらず，ほぼ視覚情報のみに頼る鉗子操作を強いられるため，基本練習で習得すべき課題は多い．

練習機材

　縫合・結紮操作は市販のシミュレーターを活用しての練習も可能だが，本項では手術用ロボット実機を稼働しての練習について述べる．通常，large needle driverを2本使用する．泌尿器科では実際の手術で3-0モノクリル RB-1を多用するため，練習でも同じ糸針を使用する．診療科，術式によって実際に使用する鉗子や糸針が異なる場合は，実際の手術に即した機材を用いればよい．本項では左右鉗子をそれぞれ左手，右手と記載する．

針の把持，運針

　縫合・結紮操作では，針を適切に把持した上で組織に愛護的な運針を行い，糸を手繰り，組織を適度な圧力で結紮するまでを一連の運針操作とし，開腹手術と同等の美しく，かつ無駄のない動作を理想とする．large needle driverを使用する場合，針を把持する部位は鉗子の先端から1/3とし，針の先端2/3の部位を垂直に持つことが基本である（**図1**）．垂直に持つことで針の先端に掛かる力のコントロールが容易となり，組織の硬さによらず安定した運針が可能となる．運針の基本は，適切に針を把持した上で針を組織に垂直に刺入させ，針の弯曲に沿って進め，弯曲に沿って針を抜くことである．ピンポイントで刺入しピンポイントで抜くことが組織に愛護的な操作となる．実際の手術操作ではあえて斜めに針を把持したり，針の弯曲に沿わない運針を行うこともあるが，練習では基本となる運針を習得することが大切である．

練習方法

- **運 針**

　運針には，手関節を回内状態から回外させる運針（順手運針）と，その逆の回外状態から回内させる運針（逆手運針）の2種類がある．ここでは頻度の高い順手運針について説明する．この運針は奥から手前の前後方向の運針や，右手による右から左，左手による左から右への運針で多用される．適切に針を把持した状態で手関節を十分に回内させ，針先を下に向けて組織に針を垂直に刺入させる（▶動画34）．

　通常，肘あるいは前腕背側はコンソール台に接した状態で開始する．ハンドコントロー

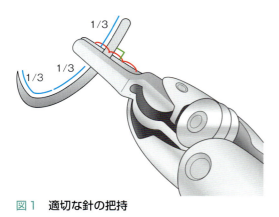

図1　適切な針の把持

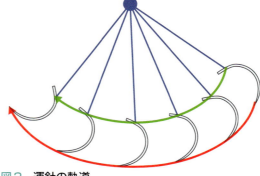

図2　運針の軌道

青丸を中心に全体が回転（公転）するのと同時に，針自体も回転（自転）させるのが運針として理想的．2つの軸の回転により，赤・緑矢印の弧を描くような組織に愛護的な運針の軌道となる．手関節を回外するだけでは，針自体の回転（自転）に留まるため，それと同時に手関節の中心を軸として回転（公転），つまり腕全体を動かさないといけない．

ルの位置が低いと回内動作に困難が伴うので，クラッチ操作を活用して適宜上方に持ち上げる．手関節が硬く，鉗子の回転不足により垂直に刺入できない場合は，脇を緩めて腕を広げると可動域が広がり垂直に刺入しやすくなる．さらに，肘をコンソール台から離して上方に持ち上げると可動域がより広がるが，鉗子操作に不慣れな段階では針先の安定感が落ちる．しばらくは肘をコンソール台に接した状態で極限までの回内操作練習を繰り返し，自分の手関節の可動域を広げる努力をした方がよい．

　針を垂直に刺入した後，回内した手関節を回外することで針が回転しながら進み，刺出させることができるが，はじめのうちは回外動作に伴って針の刺入部が動いて組織が裂けてしまう．これは手関節の中心を軸として鉗子を回転させるだけでは，針を把持した部位を中心に針が回転してしまうことに起因する．実際には手関節の中心を軸として回転させながら，針の弯曲を円周の一部とする円の中心をもう1つの軸として手・腕全体を回転させねばならない（**図2**）．例えば奥から手前に向けての前後方向の運針の場合，針を進めながら手関節の回外と同時に後者の軸を中心とした手・腕全体の時計周りの回転運動を加える必要があるため，手・腕を少し奥に押し込む動きを追加することになる．後者の軸は用いる針のサイズや弯曲によって異なってくる．手・腕の位置を完全に固定して運針動作を行うと，鉗子は自身を軸として回転することとなり，刺入部も含め針が接するすべての組織がダメージを受ける．この理屈は開放手術でも同じであるが，ロボット支援手術では鉗子が触覚を持たず非常に力が強いため，無意識に間違った操作を行うと惨事を招きかねない．実際の手術では組織の柔軟性に助けられる場面も多いが，刺入部から刺出部まで針の太さのみの経路を通る運針操作が理想であり，組織損傷を起こさない運針動作を習得するためには繰り返し練習する以外に方法はない．

　また自然な方向（手関節に負担の掛からない楽な回転）に手関節を回外させると，垂直方向（前後の運針時）ならびに水平方向（左右の運針時）の運針いずれにおいても，ややずれて斜め方向に針が進む傾向がある．解決方法は，手首の背屈・掌屈の程度を意識的に微調整しながら手関節を回外させることである．例えば，奥から手前・前後方向に運針する場合，

F　ロボット支援手術における縫合・結紮操作練習

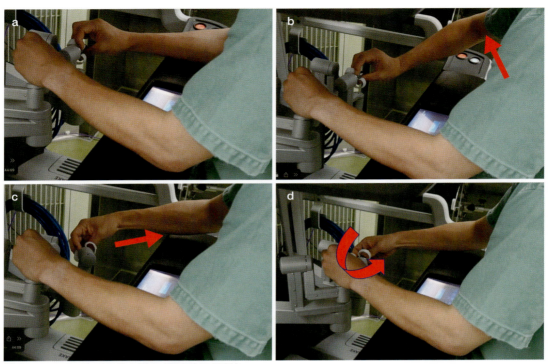

図3　コンソールでの体の動き（縦方向の運針）
a：ニュートラル（肘固定），b：脇を開き，肘を突き出す，c：手首を少し掌屈する，d：掌屈しながら手関節を回転

　脇を意識して開きつつ，肘関節を身体前面に突き出した状態で固定し，手首を少し掌屈しながら手関節を回転させると意図した垂直な運針が可能となる（図3；▶動画35）．右手で右から左に運針する場合は，脇を少し閉じた状態で，手首を少し背屈しながら回外させると真横に運針しやすい（図4；▶動画36）．

　何らかの理由（運針する組織の厚み，手関節の可動域不足など）により1回の回外運動で十分に針を刺出できない場合は，運針途中で針を持ち直すことで対処する．右手で刺入中の針であれば，いったん左手で針の後端付近を把持してその場で固定すると同時に右手を離し，右手の関節域をニュートラルに戻し，さらに回内させた状態で再度針を把持し直して運針を続行する（図5；▶動画37）．2回分の関節域を活用する方法である．もし2回分の関節域で運針しても針が刺出しない場合は一連の動作のどこかに不具合が生じていると思われるので，刺入からやり直す．実際の手術では，運針する組織の性状（固さ，動きやすさなど）によっては左手による針の保持を要さず，右手での針の持ち直しのみで2回分の関節域の運針をすることができる場合があるが，練習段階では左手での針の持ち直しを交えた前者の練習を繰り返すことを勧める．また練習を重ねるうちに手・肘・肩すべての関節が協調した動きが体得され，鉗子の可動域が広くなる．最終的には針の持ち直しをせずに十分な運針が可能となるため，あくまでも1回で針を刺出できない場合の対処法として捉えておくとよい．

　右手による運針で針が意図した部位に刺出したら，左手を回内させた状態で針を把持し，刺出点に負担が掛からないよう注意しながら針の弯曲に沿うように針を抜き切る（▶動画38）．その際に針の先端を把持すると容易に針先が曲がってしまうので把持しないよ

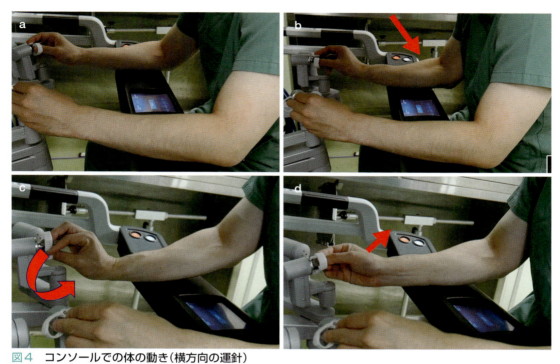

図4 コンソールでの体の動き（横方向の運針）
a：ニュートラル（肘固定），b：脇を閉める，c：脇を閉めて手首を回転，d：手首を少し背屈させながら回転

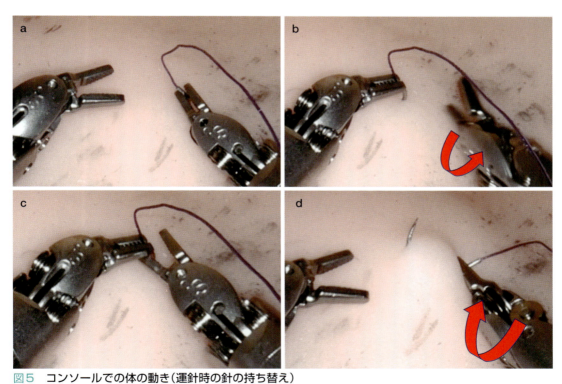

図5 コンソールでの体の動き（運針時の針の持ち替え）
a：針が出ない，b：左手で把持し針を固定．右手を回転させ，ニュートラルの位置に戻す，c：ニュートラルの位置に戻った右手で再把持する，d：右手首を回転させ，針を出す

うにする．練習を重ねると，意図的に鉗子で優しく針を把持できるようになる（甘噛み）ため，実際の手術で針の先端近くを把持せざるをえない局面では，この甘噛みを用いて針の損傷を予防する．

• 糸の手繰り

　針が組織から完全に抜けてから糸を手繰る．ここでは手繰る方向と強さに注意する．糸を手繰る方向は刺出点から垂直方向が原則である．斜めに手繰ると組織の性状によっては刺出部の組織が裂ける．運針時はスコープを操作部位に近接させて拡大視野で操作を行うが，糸を手繰る際は少し俯瞰した遠視視野で操作する．過度な遠視は鉗子の動作が大きく雑になる傾向があるので注意する．

　糸が長い場合，左右の手で交互に糸を必要な長さまで手繰ることになるが，この際左右の手で同時に糸をつかむと糸が鉗子間で引っ張られて切れてしまうことが多い．糸は必ず片手のみで把持して手繰ることを徹底する．糸を手繰るときは反対の手で刺出部を軽く押さえる習慣をつけるとよい．

　膀胱尿道吻合など連続縫合で糸を手繰る際の注意点を挙げる：①運針ごとに糸を手繰ること，②組織に垂直方向に糸を手繰ること，③糸を手繰る際に反対側の手で組織を軽く押さえること，である．

　数回運針してから一気に糸を手繰る術者もいるがお勧めしない．たいてい2針前の糸までしか手繰る力が及ばないことが多く，無理な力で手繰り続けることで組織が引き裂かれることがある．刺出部に垂直方向に糸を手繰ることで刺出部の組織損傷を避けることができる．また糸を手繰る際は大きな動きをせず，組織が寄る寸前まで2〜3cm程度の小さい手繰りを素早く繰り返す方がよい．大きな動きで糸を手繰ると手繰る糸の長さの見極めを誤り，思わぬ力が刺出部にかかり組織が一気に裂けることがある．手術用ロボットの力が非常に強いことを忘れてはならない．組織が寄ってきたら動作をスローダウンし，糸を手繰っていない手で刺出部を軽く押さえながら，組織の寄り・糸の締まり具合を視認しながら糸をゆっくりと手繰る（▶動画43の1分10〜30秒，1分40〜45秒）．

• 結紮

　糸が緩みにくく強度が強いsquare knot（男結び）が基本となる．結紮動作は腹腔鏡下手術に類似するが，自由度の高い多関節鉗子を使用できるため，容易に習得が可能である．以下にsquare knot（男結び）の手順を示す（▶動画39）．

① long tail が出ている方向の反対の手（右手）で糸を持つ．
② 両手を協調させて左手に糸を巻きつけ（overwrap），左手でshort tailの先端近くを把持する．左手を左方に引き抜き，half knotを作成する．なお，同時に右手を右方向に引いてもよい．
③ ①・②の操作を左右逆にして行い，2回目のhalf knotを作成することでsquare knotが完成する．
④ 筆者らはさらに①〜③を繰り返して3回目のhalf knotを作る．計3回糸を結紮することになる．

　上記の方法が基本であるが，糸の持ち替えを伴うため時間がかかる．より簡単に行うには，④で糸を持ち替えず，初回と逆回り（overwrapとunderwrap）で糸を巻きつければよい（▶動画40）．

結紮時はshort tailを極力短くして先端近くを把持するように心掛けると，締める動作が楽になると同時に，骨盤底など狭い術野にも対応できる．

short tailを把持して糸をループから抜く際に鉗子の関節に糸が引っ掛かる場合があるが，少しlarge needle driverの先端を下げて糸を抜く(▶動画41)ことで予防できる．

練習方法

- トレーニングの実際

シミュレータを用いる練習では，すでにトレーニングタスクが用意されているのでインストラクションに従って行えばよい．本項ではドライボックス・臓器モデルを用いた具体的な練習方法を以下に挙げた．3D骨盤モデル・臓器モデルは，ファソテック社の骨盤シミュレータを使用している．

- スポンジ(▶動画42)

腹腔鏡トレーニングと同様にスポンジ(ラパロシート)を用い，両手で運針・縫合・結紮操作を練習する．実際に行う手術操作を想定し，練習を行う．動画はロボット支援前立腺全摘除術(泌尿器科)を想定している．

- 骨盤モデル連続縫合(▶動画43)

手術用ロボット実機を稼働して行う．練習用のlarge needle driverを2本用いる．手術台に骨盤モデルを固定し，内部に膀胱尿道吻合モデル(ファソテック社の膀胱モデル，尿道モデルを使用)を設置する．実際のロボット支援前立腺全摘除術と同じく手術台を頭低位30°とし，膀胱尿道吻合(連続縫合)練習を行う．糸針は実際の手術で使用する3-0 モノクリルRB-1両端針14 cmを用いる．あらゆる角度での運針操作を練習できるとともに，何より実際の手術操作の予行演習になる．

- 折り鶴(▶動画44)

手術用ロボット実機を稼働して行う．練習用のlarge needle driverを2本用いる．2.5 cm四方の折り紙を用いて折り鶴を折る．様々なメリットを持つ練習方法である．本練習では，紙を破かないための鉗子把持力のコントロール，両手の協調運動，多関節をフル稼働させた細かい動作などを習得することができる．タイムを計測すると上達度を実感でき，練習へのモチベーションが維持できる．

泌尿器科領域においては，日本泌尿器内視鏡・ロボティクス学会(Japanese Society of Endourology and Robotics)によるロボット支援手術を行うにあたってのガイドラインがあるが，その術者条件を満たすだけで手術用ロボットの安全な鉗子操作は習得できない．本番前の一定期間の練習は不可欠である．手術用ロボットの3D立体視は優秀ではあるが肉眼とまったく同じではなく，また触覚をもたない特性を念頭に置いて，hand-eye coordinationの確立，安全な鉗子操作の習得のために基本練習を反復する．すでに練習用のシミュレータやドライボックスが市販されているので活用されたい．執刀開始後も継続的に練習することで技術習得のラーニングカーブはさらに短縮できる．

Chapter III

実臨床での縫合・結紮

領域別・術式別の縫合・結紮

1. 消化器外科領域における縫合・結紮の実際

a. 潰瘍穿孔に対する手術

　消化性潰瘍穿孔に対する治療は，保存的治療法の出現とともに手術の適応症例は減少してきたが，いまだに救急処置を必要とする症例も少なくない．消化性潰瘍穿孔の手術適応に関しては『消化性潰瘍診療ガイドライン2020』[1]があり，①発生後時間経過が長いとき，②腹膜炎が上腹部に限局しないとき，③腹水が多量であるとき，④胃内容物が大量にあるとき，⑤年齢が70歳以上であるとき，⑥重篤な併存疾患があるとき，⑦血行動態が安定しないとき，早期の手術を行うとされている．また保存的治療を選択した場合，経時的にCTを行い腹腔内ガスや腹水の増量を認めるとき，または腹部筋性防御が24時間以内に軽快しない場合は手術を考える．どちらにしても速やかな手術判断と短時間の手術を行わなければいけないため，確実な縫合・結紮手技を取得して手術に臨みたい．

術　　式

　『消化性潰瘍診療ガイドライン2020』[1]によると，消化性潰瘍穿孔に対し推奨される術式は腹腔洗浄ドレナージ＋穿孔部閉鎖＋大網被覆である．しかしながら穿孔部の閉鎖については穿孔部の浮腫や炎症で閉鎖が困難な症例も多く，その際には大網充填を行う．

ポート配置と体位

　ポート配置を図1に示す．これは胃切除術のポジションに準じている．臍部よりスコープを挿入し腹腔内を十分に観察し洗浄吸引を行うため，手術操作部位により術者は患者左側や右側にポジションを移動する．

　体位は仰臥位でも開脚位でも構わない．仰臥位で縫合・結紮を行う場合，術者は患者右側に立ちカメラ助手はその尾側に立つ．頭高位15°，右下ローテーション5°にすると術者，カメラ助手が楽なポジションをとれる．術者の使用するポートは図1の①，②になる．開脚位の場合にはカメラ助手が脚間に入る．術者が脚間に入る場合は頭高位にし②，④のポートを使用する．カメラ助手は患者右側に立つ．

手技のポイント

　穿孔部は炎症により大網や肝下面，胆囊により被覆されている場合がある．ていねいに剝離を行い，助手の鉗子で肝を挙上すると容易に穿孔部位を確認することができる（図2）．縫合・結紮の際に助手の両手によるサポートが必要であれば，リトラクターを心窩部から追加挿入する．

　穿孔部を確認した後にMorrison窩，Douglas窩の洗浄吸引を行う．感染性腹膜炎を起

1. 消化器外科領域における縫合・結紮の実際

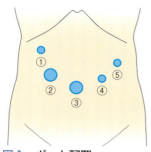

図1 ポート配置
① 5 mm ポート，術者左手
② 12 mm ポート，術者右手
③ 12 mm ポート，スコープ
④ 5 mm ポート，助手左手
⑤ 5 mm ポート，助手右手

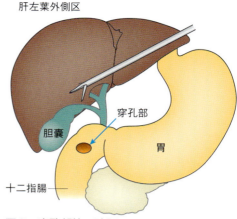

図2 穿孔部位の確認
助手の鉗子で肝左葉外側区を圧排して穿孔部の視野を確保する．

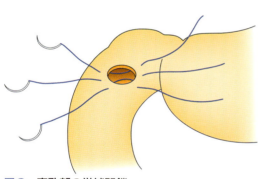

図3 穿孔部の単純閉鎖
炎症の軽微な組織に針の刺通を心掛ける．

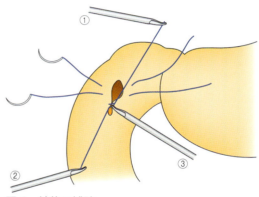

図4 結紮の補助
閉鎖時に張力が強いときは結紮点を助手のメリーランド鉗子で把持してもらうと緩みが少なくてすむ．

こしている症例ではこの操作で循環動態が安定することが多い．

穿孔部閉鎖＋大網被覆

　穿孔部の大きさから何針閉鎖に必要かあらかじめプランニングしておく．針は22～26 mmの1/2弯曲丸針付3-0吸収糸を使用し，15 cmくらいに糸の長さを調整しておく．可能な限り炎症の軽微な壁に運針することを心掛けて数本を刺通する（図3）．十二指腸壁の刺通は図1の②のポートから容易に可能であるが，結紮操作は①と②の鉗子角度が狭いためやや難しい．その際にはスコープを②から挿入し，③の臍部ポートから持針器を挿入すると結紮が容易になる．結紮は外科医結び（surgeon's knot）を行う．組織が脆弱な場合，強引に結紮を行うと組織が裂けるので無理をしない．張力が強い場合，結紮点を助手のメリーランド鉗子で把持してもらうのも有効である（図4）．

　穿孔部閉鎖が終了後，穿孔部にテンションの掛からない大網を選択し，穿孔部を被覆する．大網は3-0吸収糸で数針固定するが，最初の1針目は大網を助手の鉗子で把持しても

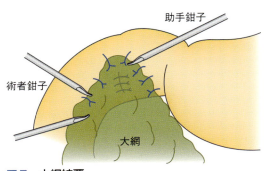

図5 大網被覆
助手の鉗子で大網を把持し固定して，数針大網と十二指腸壁を縫合・結紮する．

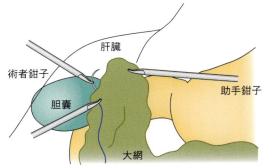

図6 大網充填の縫合・結紮
大網の縫合・結紮の際には，助手に大網を把持してもらう．結紮は1〜2針でよい．

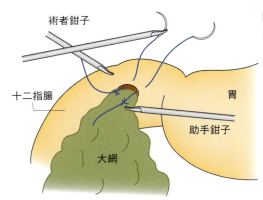

図7 大網充填
大網を穿孔部に挿入し，助手に大網を把持してもらう．縫合はsurgeon's knotを行う．

らうと安定した縫合・結紮ができる（**図5**）．

大網充填（▶動画45）

　穿孔部が大きい場合や炎症により十二指腸壁が脆弱で縫合困難な場合は大網充填術を選択する．穿孔部にテンションの掛からない大網を選択しトリミングすることがポイントである．縫合糸は前出の丸針付3-0吸収糸を15 cmくらいにして用い，大網を1〜2針結紮しておく（**図6**）．short tailは3〜4 cmに切離しておくと後の縫合が容易になる．その後，それぞれ穿孔部から全層で十二指腸壁に刺通する．大網を穿孔部に押し込み助手に把持してもらいながら，しっかりと壁を損傷しないようにsurgeon's knotを行う（**図7**）．大網を牽引して確実に固定していることを確認する．さらに周囲の大網を十二指腸壁に数針縫合・結紮しておく．

腹腔内洗浄

　洗浄は5〜10 Lの温生食で左右の横隔膜，腸管，Douglas窩の順に行う．頭高位で洗浄を開始し，最後に頭低位にしてDouglas窩の洗浄液を吸引する．洗浄，吸引には時間がかかるためストライクフロー2（ストライカー社，毎分3 L洗浄可能）が有用である．

ドレーン留置

ドレーンは穿孔近傍部に閉鎖式ドレーンを留置する．必要に応じて横隔膜下，Douglas窩にドレーンを留置する．

b. 噴門形成術

セットアップ

全身麻酔下，開脚仰臥位とし，術者は患者の右側，第一助手は左側，カメラ助手は脚間に立つ．筆者らは5本のトロッカーを用いている．まず，カメラ用トロッカーとして，臍部を縦切開し12 mmブラントポートを留置(open method)，8～12 mmHgで気腹を確立する．続いて，操作用トロッカーとして，左鎖骨中線肋骨弓下，その10 cm尾側，右上腹部，心窩部の順で5 mmトロッカーを留置する(**図8**)．基本的に術者は両手操作(2ハンド)，第一助手は片手操作(1ハンド)で手術を行う(**図9**)．術者の左手は**図8a**のポート④，右手は状況に応じてポート②もしくは③を使用する．第一助手は術者右手用ポートの他方(③もしくは②)を使用する．約30°の頭高位を取り，リトラクターをポート⑤より挿入，肝外側区域を挙上し，食道胃接合部(esophagogastric junction: EGJ)を露出させる．

以下，腹腔鏡下噴門形成術，食道裂孔ヘルニア修復術は以下の手順で行う．

① 食道の露出
② 胃脾間膜の切離と胃底部の授動
③ 食道裂孔の縫縮
④ 噴門形成(胃底部の縫合)

本項では縫合・結紮手技を要する部分(③，④)について解説する[2, 3]．

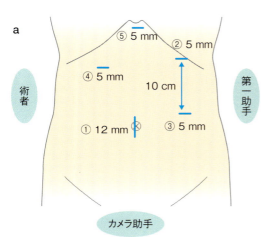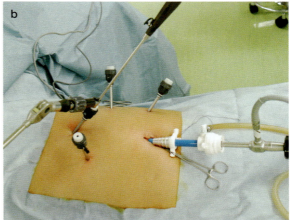

図8 ポート配置のシェーマ(a)と実際(b)

A　領域別・術式別の縫合・結紮

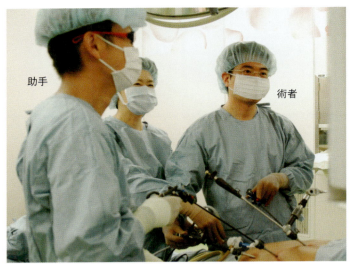

図9　手術室の配置

助手　術者

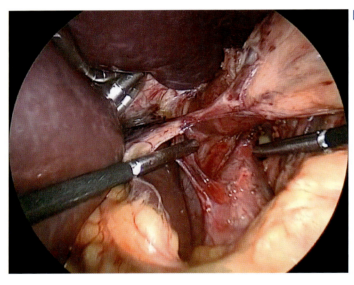

図10　裂孔間隙の確認

食道裂孔の縫縮（▶動画46）

　迷走神経前幹・後幹の損傷に注意して，腹部食道を5cm程度，全周性に露出する．

　食道裂孔部を過度に狭くし過ぎると，術後の嚥下障害（dysphagia）の原因となる．筆者らは，食道裂孔縫縮の際，麻酔科医に依頼し，45Frブジーを経口的に腹部食道に留置している．

　食道裂孔縫縮は背側で行うため，**図8a**のポート③より5mm食道リトラクターを挿入し，腹部食道をブジーと一緒に十分に腹側方向に牽引する（**図10**）．2-0非吸収糸を用いて，背側から腹側方向に向かって開大した左右横隔膜脚を縫縮する（crural repair）．その際，筋組織の断裂を避けるため，筋膜にしっかりと糸を掛ける（**図11a**）．この部分の縫合は組織にテンションが掛かっており，結紮部位が緩みやすい．そのため，適宜，外科医結び（surgeon's knot）やslip knotを用いる（**図11b**）．

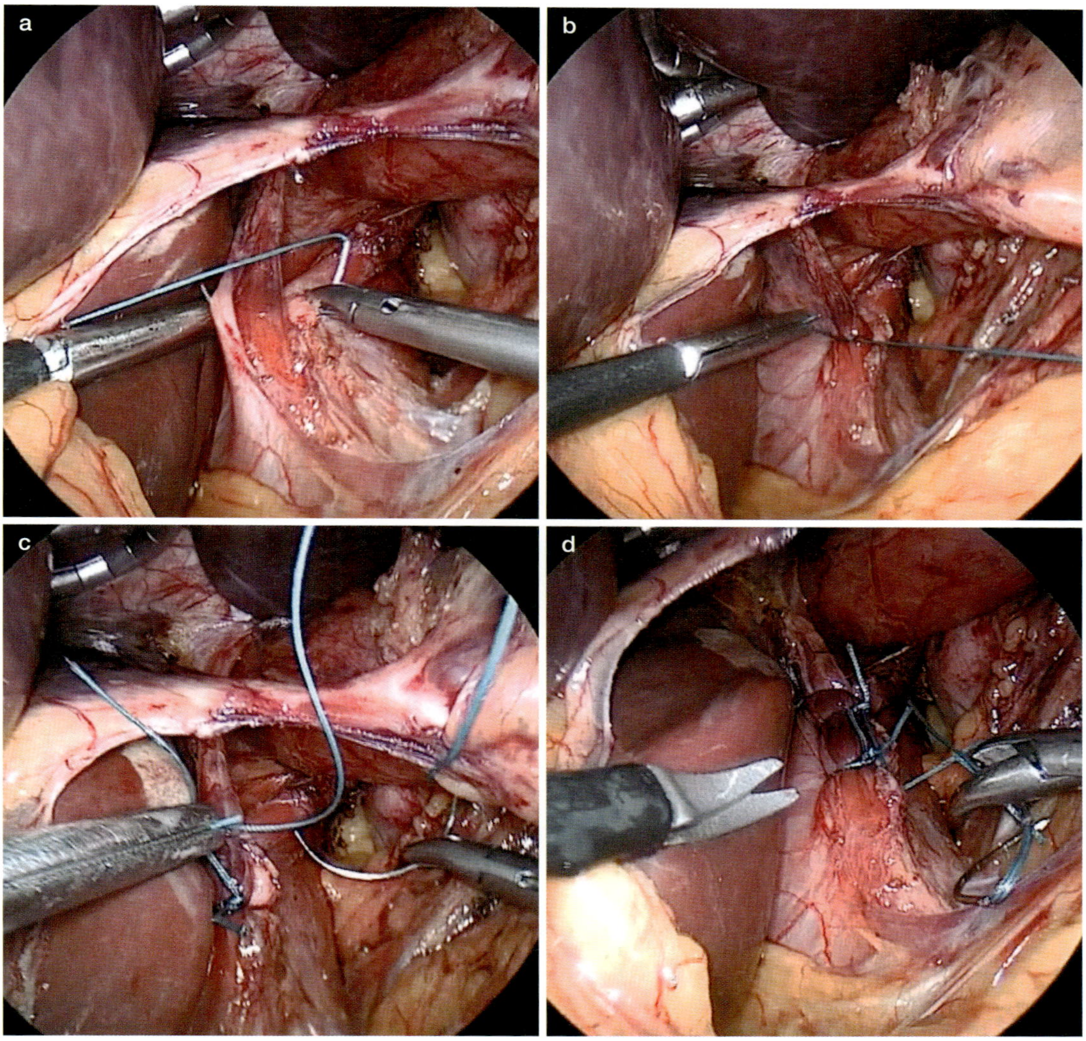

図11 食道裂孔の縫縮
a：1針目，b：結紮，c：move the ground，d：終了時

　左手鉗子で結紮糸を牽引する(move the ground)，あるいは，腹部食道を腹側に挙上するなどして，ワーキングスペースを確保する．
　肝外側区域や尾状葉に針を刺入しないように注意する．また，針の尾側端で腹部食道を損傷しないように注意する(図11c)．筆者らは，45 Frブジーを留置した状態で，腹部食道背側と裂孔縫縮部に若干(5 mm程度)の隙間が残るようにしている(図11d)．

噴門形成（胃底部の縫合）

　噴門形成の方法としては，全周性のNissen噴門形成術(total fundoplication)と非全周性(270°)のToupet噴門形成術(partial fundoplication)が代表的である(図12)．両術式の比較については複数のランダム化比較試験やそれらを含むメタアナリシスが報告されている[4,5]ので，それらを参照されたいが，大まかには，いわゆる"標準術式"とされるNissen法が米国を中心に広く行われている．両術式の逆流防止効果(短期成績)は同等で，術

A　領域別・術式別の縫合・結紮

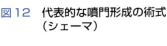

図12　代表的な噴門形成の術式（シェーマ）

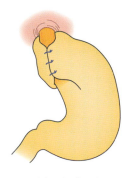
total fundoplication
（Nissen法）

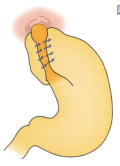
partial fundoplication
（Toupet法）

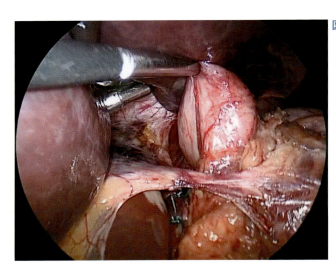

図13　胃底部の誘導

後早期（多くは一過性）の嚥下障害の発生率はToupet法が低いとされている．

先の操作で授動した胃底部を腹部食道右側に誘導する．このとき，鉗子を放しても胃底部が食道左側に引き込まれなければ，授動が十分に行われていると考えられる（drop test；図13）．

•Nissen噴門形成術

左右のfundic wrapを把持鉗子で把持し，wrapにテンションが掛かっていないことを確認するとともに，wrapの位置決め（シミュレーション）を行う（図14）．

術者は図8aのポート②，④を用いる．助手はポート③から挿入した鉗子で胃上部を把持し，腹部食道前面が捻れることなくストレートになるように尾側・背側方向に牽引する．

1針目は，外側胃底部漿膜筋層→内側胃底部漿膜筋層の順に，2-0非吸収糸［筆者らは2-0 エチボンド（ジョンソン・エンド・ジョンソン社）を用いている］を通して縫合する．この部分の縫合も緩みやすいため，適宜，surgeon's knotやslip knotを用いる．縫合後，wrap下縁がおおよそEGJに位置するように決める（図15a）．

2，3針目は，外側胃底部漿膜筋層→食道筋層→内側胃底部漿膜筋層の順に，1針目縫合部の口側で縫合固定する（図15b）．迷走神経前幹に運針しないよう注意する．1針目と3針目の縫合部の間隔は1.5～2 cm程度にしている（図15c）．

図14 wrapの位置決め
　　　（シミュレーション）

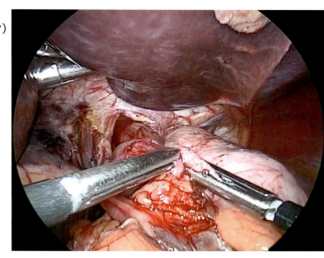

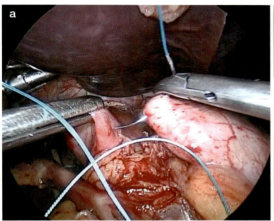

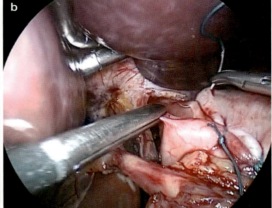

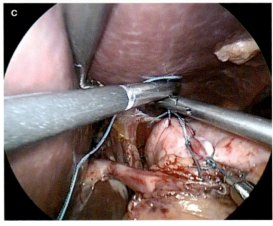

図15　Nissen噴門形成術
a：1針目，胃-胃縫合
b：3針目，胃-食道-胃縫合
c：3針目，slip knot

A　領域別・術式別の縫合・結紮

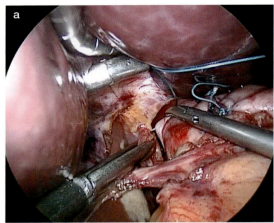
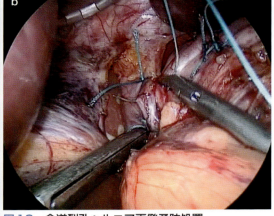

図16　食道裂孔ヘルニア再発予防処置
a：shoulder stitch，wrap右側−横隔膜右脚縫合
b：anchor stitch，wrap右側−食道裂孔縫縮部縫合
c：shoulder stitch，wrap左側−横隔膜左脚縫合

　噴門形成部が縦隔内に逸脱するのを予防する目的で，右側のwrapと横隔膜右脚を1針縫合固定する（shoulder stitch；図16a）．同様の目的で，wrap背側と食道裂孔縫縮部を1針縫合固定する（anchor stitch；図16b）．
　左側のwrapと横隔膜左脚も同様に1針縫合固定する（shoulder stitch；図16c）．
　再度，麻酔科医に依頼して，45 Frブジーが抵抗なく胃内に入っていくことを確認し，手術を終了する（図17）．通常，減圧用の胃管や腹腔内ドレーンは留置しない．

• Toupet噴門形成術（▶動画47）
　Nissen法と同様に，十分に胃底部の授動を行う．授動が不十分であると，きれいなwrapを作製することができない（図18）．
　術者は図8aのポート②，④を用いる．助手はポート③から挿入した鉗子で胃上部を把持し，腹部食道前面が捻れることなくストレートになるように尾側・背側方向に牽引する．
　腹部食道右側→内側（右側）胃底部漿膜筋層の順に，同じく，2-0非吸収糸を通して縫合固定する（図19a）．筆者らは，最初に頭側端，次に尾側端を固定し，その後，両端間（4 cm程度にしている）に2針追加し，計4針で右側のwrap形成を行っている（図19b）．270°のpartial fundoplicationとなるよう，wrapの位置決め（シミュレーション）を行う（図19c）．

1. 消化器外科領域における縫合・結紮の実際

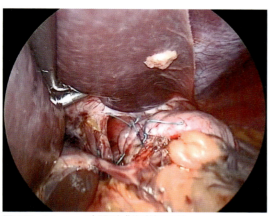

図17 Nissen噴門形成術（終了時）

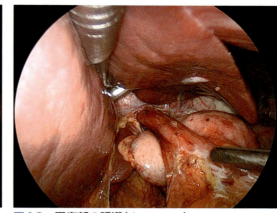

図18 胃底部の誘導（drop test）

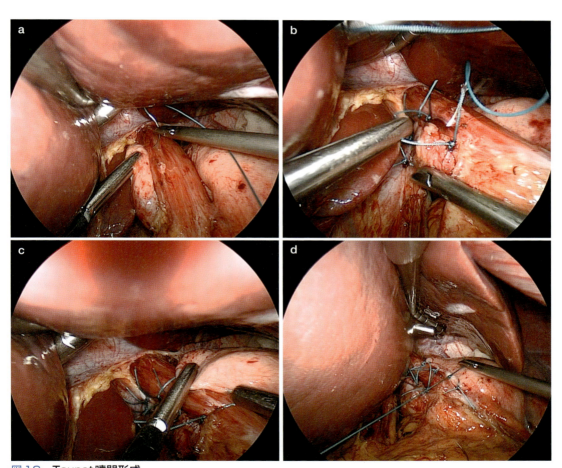

図19 Toupet噴門形成
a：食道−右側wrap，1針目，b：食道−右側wrap，4針目，c：左側wrapの位置決め（シミュレーション），d：左側wrap−食道，4針目，終了時

外側（左側）胃底部漿膜筋層→腹部食道左側の順に，4針で縫合固定する（図19d）．迷走神経前幹に運針しないよう注意する．

Nissen法と同様に，左右shoulder stitchならびにanchor stitchを追加し，最後に45 Frブジーが抵抗なく胃内に入っていくことを確認する．

c. 幽門側胃切除後再建

腹腔鏡下幽門側胃切除のセットアップは図20のごとく開脚位とし，術者は患者の外側に立っていることが多い．郭清の際に術者が左右に立ち替わるにせよ，再建の際には，術者は患者右側で行うことが多い．再建の際に必要な縫合・結紮手技は，自動縫合器による吻合の挿入孔閉鎖前の支持糸や，挿入孔そのものの縫合閉鎖などに用いられる．また，Billroth Ⅱ法やRoux-en-Y再建の場合は，挙上空腸と結腸間膜の間にできるPetersen孔を閉鎖することは必須とされており，この閉鎖も腹腔内で縫合閉鎖する必要がある．Roux-en-Y再建では，Y脚作成時にできる間膜のギャップも縫合閉鎖しておく必要がある．また，近年，有棘縫合糸（barbed suture）が普及し，体腔内での縫合・結紮のうち，結紮手技が省略されることが多くなってきている．本項では幽門側胃切除に関連する縫合・結紮手技を順に述べる．

Billroth Ⅰ法再建（デルタ吻合；▶動画48）

• 残胃十二指腸ステープリング

B-Ⅰ再建におけるデルタ吻合では，残胃と十二指腸の側々吻合時，自動縫合器の適切な調節が重要であり，過剰な腸管壁への緊張や損傷に留意する（図21）．

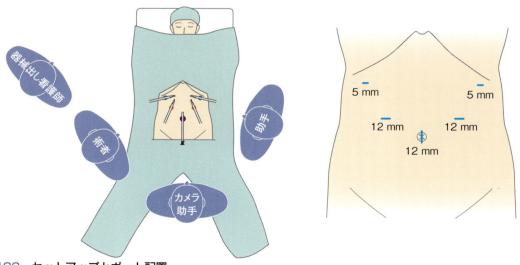

図20　セットアップとポート配置

図21 適切なステープリング

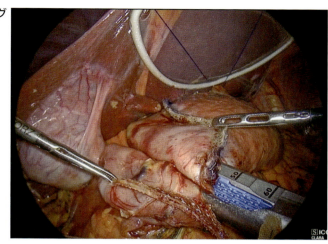

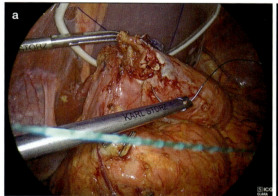
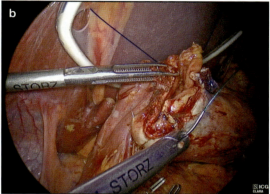

図22 挿入孔の仮閉鎖(1針目)
a:胃壁への刺入,b:十二指腸側への刺出

● 挿入孔の仮閉鎖(支持糸)

挿入孔の閉鎖前の胃壁と十二指腸壁の仮閉鎖をして支持糸を掛ける.ステープルラインがV字に開くようにして挿入孔を広げ,残胃十二指腸縫合両端と,その挿入孔中央に3針の結節縫合を加えるのが基本的手技となるが,近年は,3-0針付有棘糸(15 cm長)による同部位3針の連続縫合による仮閉鎖を定型化している.その運針操作は,結節縫合を加える場合の運針操作とまったく同じである.

挿入孔の尾側端から開始する.針の把持は持針器に対してほぼ垂直で問題ない.まず,左手の鉗子で開放部十二指腸壁中央を把持し,腹側に牽引し,胃壁から十二指腸壁に運針する(図22).糸を軽くたぐり,糸尻を十分に残して2針目のために針を持ち直す.

2針目は,左手鉗子で開放部胃壁の小弯側を把持し,適切な刺入点に針先を誘導する.刺入する際は,胃壁を腹側に立てるように針先に被せていき(図23a),胃壁全層にしっかりと針を掛けるため,いったん胃粘膜側で針先を確認する(図23b).針の把持はそのままで,左手の把持鉗子でそのまま十二指腸壁を被せる動きを加え,十二指腸壁を貫通させる(図23c).

最後の3針目は,左手鉗子で開放部小弯側の十二指腸壁を把持し,視野手前に牽引する.

A　領域別・術式別の縫合・結紮

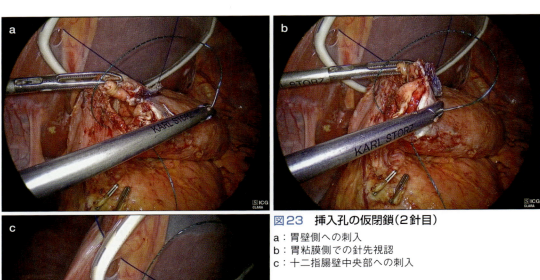

図23　挿入孔の仮閉鎖（2針目）
a：胃壁側への刺入
b：胃粘膜側での針先視認
c：十二指腸壁中央部への刺入

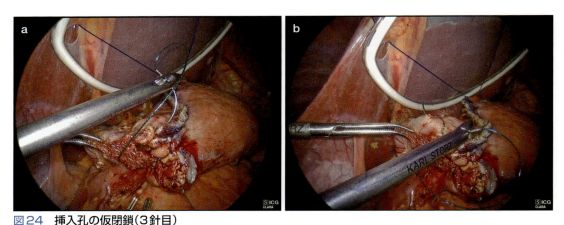

図24　挿入孔の仮閉鎖（3針目）
a：残胃小弯側への刺入，b：十二指腸壁への貫通

　残胃-十二指腸縫合部の端がよく視認されるので，運針を振りかぶってまず残胃側に針先を刺入し（図24a），そのまま一気に十二指腸壁へ運針し，針を導出する（図24b）．

　このように3針緩い連続縫合を加えたら，針を回収する．糸の両端を牽引し腹側に挙上すると，図25のように，挿入孔が一直線に仮閉鎖される．この後，仮閉鎖をステープルで本閉鎖するが，その際，ステープルからの胃壁や十二指腸壁の脱落が極めて少ないスムーズなステープリングができる．

1. 消化器外科領域における縫合・結紮の実際

図25 挿入孔の仮閉鎖（最後）

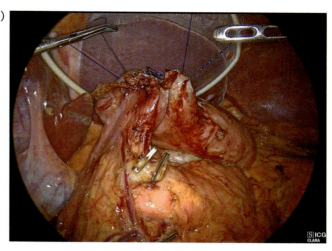

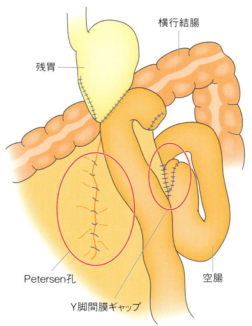

図26 Roux-en-Y再建と内ヘルニア予防のための閉鎖ポイント

残胃空腸吻合を含む再建（Roux-en-Y再建，Billroth II再建）

　Billroth I 再建が適応とならない場合，多くは残胃空腸吻合を利用したRoux-en-Y再建またはBillroth II 再建が施行される．両再建術は残胃空腸吻合が共通手技であり，縫合・結紮手技という観点から，本項では，Y脚吻合と残胃空腸吻合の2つの手技を述べる．

- Y脚吻合（▶動画49）

　Roux-en-Y再建（結腸前経路）のシェーマを図26に示す．

　Treitz靱帯から約25 cmの部分で，自動縫合器で空腸を切離する．挙上空腸の先端から約25 cmの部位および輸入脚空腸の先端にそれぞれ小孔を開け，自動縫合器で側々吻合を行う（図27a）．

A 領域別・術式別の縫合・結紮

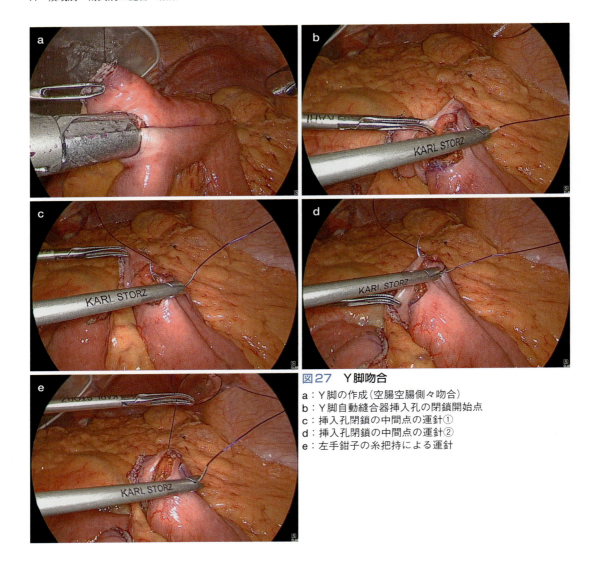

図27　Y脚吻合
a：Y脚の作成（空腸空腸側々吻合）
b：Y脚自動縫合器挿入孔の閉鎖開始点
c：挿入孔閉鎖の中間点の運針①
d：挿入孔閉鎖の中間点の運針②
e：左手鉗子の糸把持による運針

　自動縫合器の挿入孔を3-0有棘吸収糸を用いて連続1層にて縫合閉鎖する．運針の際，粘膜が外翻しないように留意する．挿入孔閉鎖において，左手鉗子で頭側の創縁を把持して，全層をしっかりと運針して開始点とする（**図27b**）．

　開始点以降の運針はパターン化しているが，頭側の空腸壁を左手鉗子で把持し，対側の空腸壁の刺入点に針先を運針し全層を貫く（**図27c**）．針先端を再びダウンスイングして左手鉗子で把持した側の空腸壁の粘膜面から漿膜面に針を刺出する（**図27d**）．運針の際の別のパターンとして，糸を牽引する場合もある．この際，糸を牽引して縫合閉鎖部をうまく牽引し，右手持針器で把持した針先をコントロールして両側の空腸壁を運針する（**図27e**）．

　その他，空腸壁を持つ部位を適切に変え，運針を継続する．この際，左右の協調運動で，左手で組織を被せる動き，右手は針先が適確に組織を貫く角度調整をして運針することが肝要である．

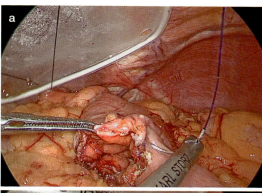
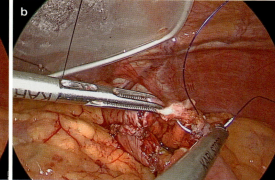

図28 残胃空腸吻合
a：縫い始め
b：左手鉗子で胃壁を針先に被せる動き
c：糸牽引による運針

- 残胃空腸吻合（▶動画50）

　残胃空腸吻合はRoux-en-Y再建でもBillroth Ⅱ再建でも，順蠕動様に自動縫合器で側々吻合する．自動縫合器の挿入孔は，Y脚とほぼ同様の手順で縫合閉鎖する．この際，縫合の現場はY脚よりも頭側に移動するため，縫合する角度としてはやさしい角度になる．左手鉗子で把持するのはほとんど胃壁で可能と思われる（図28a）．この際も，左手鉗子で胃壁をうまく被せる動きで運針することがコツである（図28b）．

　挿入孔が小さくなってきたら，糸牽引による動きが有効となる．左手鉗子で腹側に糸を牽引して空腸壁へ針先を刺入する（図28c）．

- Petersen孔の閉鎖（▶動画51〜53）

　3-0有棘非吸収糸を用いて連続縫合閉鎖する．この際，結腸を頭側に翻し，その後葉と空腸間膜を，間膜の中心から閉鎖し，結腸近傍まで縫合閉鎖する（図29a；▶動画51）．

　結節縫合で閉鎖する場合，3-0非吸収性の糸で，内ヘルニアを防ぐ間隔で縫合・結紮を行う（図29b；▶動画52）．

- Y脚間膜の閉鎖（▶動画53）

　Y脚間膜も同様に3-0有棘非吸収糸を用いて縫合閉鎖する（図29c；▶動画53）．

　腹腔鏡下幽門側胃切除は胃切除の基本手技といえる．確実にマスターして安全な腹腔鏡下胃切除を定型化することを心掛ける．

A　領域別・術式別の縫合・結紮

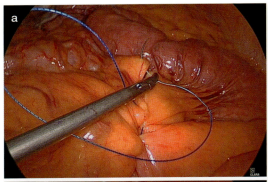
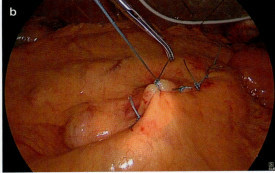

図29　Petersen孔の閉鎖
a：Petersen孔連続縫合閉鎖
b：Petersen孔結節縫合閉鎖
c：Y脚ギャップ結節縫合閉鎖

d. 食道空腸吻合

1 腹腔鏡下手縫い吻合

　　腹腔鏡下胃全摘術後の再建において食道空腸吻合は難易度が高いとされている．諸家によって様々な方法が報告されているが，そのほとんどは自動吻合器または自動吻合器を用いた器械吻合であり，針糸のみによる手縫いの吻合の報告は少ない[6〜8]．しかし，器械吻合においても食道の巾着縫合，自動吻合器挿入口の閉鎖，器械吻合部の補強などが必要であり，針糸を用いた縫合操作を完全に排除することはできないため，食道空腸吻合において腹腔鏡下の縫合技術は必須といえるだろう．吻合法によって必要な縫合技術は若干異なるが，本項では自動吻合器を使用しない針糸のみによる食道空腸吻合に必要な腹腔鏡下縫合について述べる．この技術があればトラブルシューティングも含めて器械吻合時に必要な縫合は自ずと可能となると思われる．

患者の体位とスタッフ配置，ポートの位置

　　患者の体位はレビテータを用いた開脚仰臥位とし，術者は患者の右側，第一助手は左側，カメラ助手は脚間に立つ．カメラポートは臍部に置き，処置ポートは右上腹部に2本，左上腹部に2本の合計5ポートとしている．針糸による手縫い食道空腸吻合を行う際には右

図30 患者の体位とスタッフ配置・ポートの位置

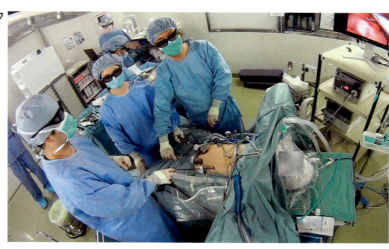

図31 筒縫いの練習

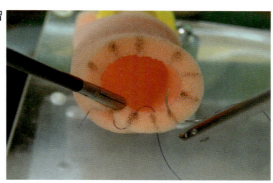

上腹部頭側のポートを術者左手鉗子用，左上腹部尾側のポートを持針器のために使用し，このポートから針糸の出し入れも行う（図30；▶動画54）．一般的にこのようにスコープを中心に据えたco-axialセットアップにした方が腹腔鏡下縫合操作は容易である．

食道空腸手縫い吻合に必要な腹腔鏡下縫合技術

　安全に食道空腸吻合を完遂するためには，縫合・結紮手技における基本技術の習得が極めて重要である．「針糸を体腔内に導入する」「針を持針器で迅速に適切な角度で把持する」「縫合すべき組織へ適切にアプローチする」「縫合対象臓器内にイメージしたラインをトレースするように針を通す」「迅速で正確な糸結びにより組織を適切な強さで密着させる」「糸を切り，針を体外へ摘出する」これらの一連の操作がスムーズにできるよう日頃からトレーニングボックスでのトレーニングに加え，臨床の場においても積極的に腹腔鏡下縫合を行うようにしておく方がよい．

　トレーニングボックスでのトレーニングでは糸結びや直線上の縫合練習だけでなく円筒状のスポンジに針を通す「筒縫い」（図31；▶動画55）も有効である．12方向に線を引いて外内，内外と巾着縫合を行うように運針していく．練習すればそれほど困難なものではなく，瞬時に針を持針器に把持しあらゆる方向に自由に運針できるようになり，円筒形である消化管の縫合に大いに役立ち応用範囲も広い．

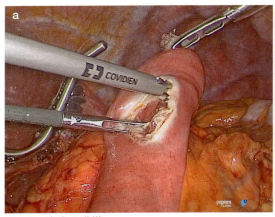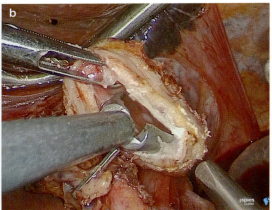

図32 吻合の準備
a：小腸に吻合孔を作製，b：食道断端の開放

吻合の準備

まず，縫合の対象となる食道と空腸に吻合孔を作製する．挙上空腸の先端から約3 cmの腸間膜対側腸管壁に超音波凝固切開装置で2.5 cm程度の小孔を作製し吻合孔とする（図32a）．食道断端を超音波凝固切開装置を用いて開放する（図32b）．正確な縫合となるようにできるだけきれいに吻合孔を作製する．

吻合の流れ

針糸での食道空腸吻合は3-0モノフィラメント吸収糸（モノクリル26 mm，SH針など）による全層1層結節縫合で行っている．食道全層に針が正確に通せること，縫合糸の間隔がわかりやすいことなどから糸結びはすべて管腔外になるようにしている．縫合の流れは以下の通りである．

① 針を持って縫合すべき部位へアプローチする．食道の外側から内側に針が刺入できるように左手の把持鉗子で食道の位置を調整し，適切な角度に針を近づける（図33a）．
② 食道の外から内へ等間隔に縫合することを意識して針を刺入し，左手の把持鉗子で針を引き抜く（図33b）．
③ 食道から引き抜いた針を持針器に把持し，空腸を縫いやすいように針の角度を調整する（図33c）．
④ 空腸の中から外へ縫合ラインと直角になるように意識して運針する（図33d）．
⑤ overwrap，underwrapを4回繰り返して糸結びをする（図33e）．食道と空腸のテンションが強い場合はsurgeon's knotやslip knot法を使う．
⑥ 糸を切り，余剰な糸と針を体外へ摘出する．

このような操作を繰り返すことによって通常15針程度で食道と空腸は吻合され，所要時間は約30分である（図33f）．

1. 消化器外科領域における縫合・結紮の実際

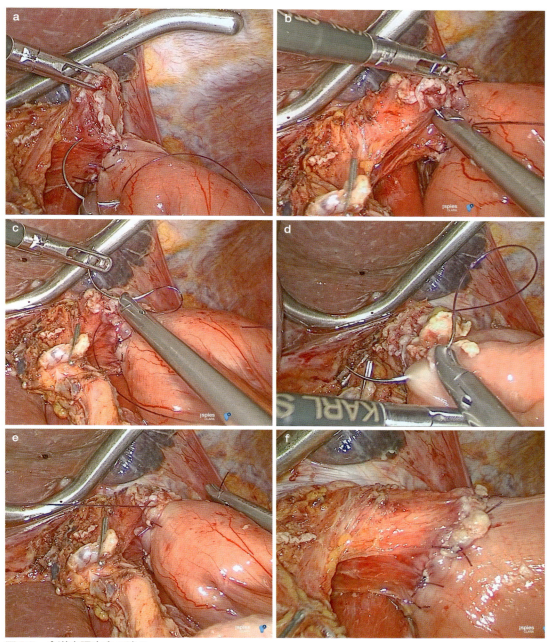

図33 食道空腸吻合の流れ
a：食道への針のアプローチ
c：持針器へ針の把持と角度調整
e：糸結び
b：針の食道壁への刺入
d：空腸壁への針の刺入
f：吻合完成

吻合の実際

　腹腔鏡下食道空腸手縫い吻合の典型的な流れを動画に沿って解説する（▶動画56）．本症例は吻合完成までにトータル14針を要したが，各運針のポイントのみを述べる．
＃1：まず食道の3時の位置で筋層を確実に5 mmのバイトをとるように注意しながら食道の外から内へ順針で運針する．次に，空腸の吻合予定部の遠位端で空腸の内から外に運

針する．粘膜は最小限に，漿膜筋層を確実にとるように注意する．1針目は食道空腸間にテンションが掛かるので，surgeon's knotかslip knot法を用いて食道と空腸を確実に寄せるようにする．

#2：2針目は食道の背側からアプローチする．腹腔鏡下手術では気腹によって食道背側に十分なスペースができることに加え，拡大された影のない良好な視覚情報が得られるので，正確な運針には有利である．針を食道の外から内へ運針する．食道壁から針を抜いたら，空腸側の運針に備えて針の角度を調整して持針器で針を把持し，バイトとピッチが食道側と同じになるように意識しながら空腸の内から外へ運針する．

#3～#5：3～5針目は時計の5～7時に相当しており，食道側の運針は背側から腹側の方向にほぼ真っ直ぐに突き上げるようにすると，食道壁に垂直に針を刺入しやすい．

#6, #7：6針目と7針目は時計の8時・9時に相当する部位で，針は順針で運針する方がよい．その際，持針器よりも針先が上方にくることが多い．

#8：8針目は時計の10時の方向に相当するが，この部位の食道は逆針での運針が必要である．逆針で食道の外から内へ運針した後，針を引き抜き，空腸の内から外へ運針する．その際，針先が手前に向かうように把持し，針を奥から手前に引き抜くように運針すると，小腸断端に垂直に運針することができる．

　3～10時まで時計回りに約2/3周の縫合が終わったら，残りの1/3周は再び3～10時に反時計回りに結節縫合していく．前壁では食道の筋層がよく視認できるため，この部位では小腸の外から内，食道の内から外へ運針を行う．

#9, #10：9針目，10針目は食道の2時付近の方向である．針糸での食道空腸吻合で腹腔鏡下に最も視認しにくい部位であり，注意が必要である．まず，順針で空腸の外から内へ針を通す．針を引き抜いたら両手の共同作業で逆針に把持し，そのまま食道壁を内から外へ運針する．

#11～#13：これらの部位の縫合ラインは一般に斜め方向になっている．これまでのように空腸と食道をそれぞれ別々に運針してもよいのだが，#11の動画で示すように，針を斜め前方に角度をつけて把持することによって空腸から食道へ一気に針を通すことが可能となり，時間短縮につながる．

#14：食道空腸吻合が全周終了したところで縫合に懸念がないかチェックする．もし，結節縫合間のピッチが広いなど懸念があれば追加縫合を行う (plus 1)．任意の方向に運針できる技さえあれば，どの部位であっても問題なく追加縫合が可能である．

2 自動縫合器挿入孔の閉鎖（▶動画57）

　腹腔鏡下食道空腸吻合は，胃全摘や噴門側胃切除（空腸間置法，ダブルトラクト法）の再建で必要となる．本項では広く普及している自動縫合器を用いたside to side吻合 (overlap法) における共通孔閉鎖の縫合・結紮手技を，筆者の施設で標準的に行っている手技をモデルに解説する．縫合法については連続・結節縫合のいずれかを選択するが，筆者の施設では食道・空腸側の口径差が合わせやすいという理由から結節縫合を採用している．結紮法については体外結紮法で行う施設も多いが，筆者の施設では結び目の繊細な位置調整が行える点，腸管壁に糸牽引によるテンションが掛かりにくいという点を考慮し，体腔内結紮法

1. 消化器外科領域における縫合・結紮の実際

図34 共通孔の位置
食道の後壁側でステープリングを行えば共通孔は腹側に向くため縫合時の視認は良好となる.

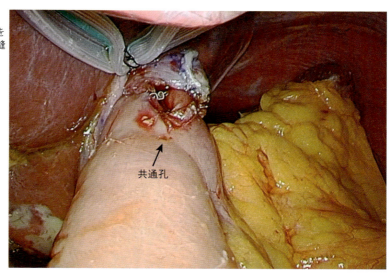

図35 ステープリング時の注意点
食道壁,空腸壁に段差ができないように留意する(矢印)ことにより共通孔面積を小さめにすることができる.

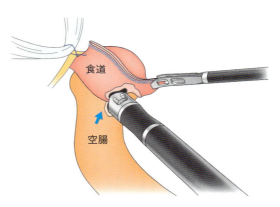

を採用している.

食道空腸ステープリング時の留意点

overlap法では食道壁のどの方向に吻合するかという点で,食道左壁に空腸を吻合する原法[9],食道後壁に空腸を吻合する方法(inverted T-shaped)[10]がある.後者は前者と比較し共通孔が腹側を向く形となり(図34),縫合閉鎖時に視野がとりやすいという長所があるため,筆者の施設では標準法として採用している.ステープリングを行う際は,食道・空腸をクランプした状態で腸管壁に段差ができないように注意する(図35).段差があるままステープリングしてしまうと,共通孔が予想以上に大きくなるため縫合閉鎖で苦労することになる.むろん,最初に作製した自動縫合器挿入用の小孔が大きければ,共通孔は大きめになるため,筆者の施設ではなるべく小さめの小孔を作製するように留意している.

縫合閉鎖に用いる針糸

筆者の施設では3-0モノフィラメント吸収性縫合糸+26mm半円針(3-0モノクリル;ジョンソン・エンド・ジョンソン社)を使用している.結節縫合なので糸の長さは12cmとしている.鉗子は右手にKOHマクロニードルホルダー,左手にSZABO-BERCIアシスタ

A　領域別・術式別の縫合・結紮

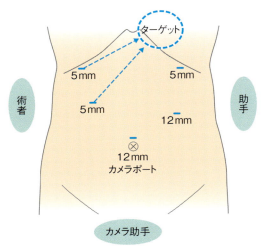

図36　ポートセッティング
術者は患者右側からpara-axialセットアップで縫合・結紮操作を行う.

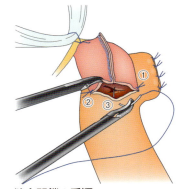

図37　縫合閉鎖の手順
共通孔左端(①),右端(②),中央(③)の順に結節縫合を行う.中央(③)の縫合では空腸側はGambee縫合のように行い粘膜を内翻させる.

ントニードルホルダー"フラミンゴ型ジョウ"(いずれもカールストルツ社)を使用している.ただしフラミンゴ型ジョウは先端が尖鋭な構造となっているため,粗雑に腸管壁を把持すると損傷をきたすリスクがある.腸管を同持針器で把持する場面では,細心の注意と愛護的な取り扱いが必要であることも忘れてはならない.

セットアップ

　胃がん手術の郭清操作と同様の5ポートセッティングである(図36).術者は患者右側のポート2本から操作するため,para-axialセットアップとなる.郭清操作同様,食道空腸吻合部の良好な視野を得るためには,リトラクターなどを用いた肝外側区域の圧排が必須となる.筆者の施設では長さ10 cmのペンローズドレーンの中央部を食道裂孔腹側に縫着し,両端に固定した糸を体外に誘導,V字型に展開する方法を採用している.

縫合閉鎖の手順

　まず共通孔の左端→右端→中央という順序で,3針の縫合・結紮を行う(図37).共通孔中央部の縫合閉鎖では,空腸側はGambee縫合のように全層に掛けた後,粘膜下層へ針を出すようにすると,粘膜の外翻が起こりにくく,最終的にきれいな仕上がりとなる.一方,食道側は確実に全層をとるように粘膜も含めて大きめに運針する.その後,これらの間を適切な間隔をもって数針で埋めていく手順で行うと口径差も合いやすい(図38).必要な針糸数は,単純に先の間隔を3針ずつで閉鎖すれば3＋3＋3＝9針,4針ずつで閉鎖すれば3＋4＋4＝11針になる.もちろん症例や状況に応じて対処すべきであるが,これらが平均的な針糸数である.基本的に共通孔の閉鎖は全層1層縫合としている.

縫合閉鎖の実際

　まず吻合部周囲の視野展開を確認する.ペンローズドレーンによる視野展開が不十分であれば,助手の右手鉗子でペンローズドレーンを横隔膜脚への縫着部近傍で把持し頭側に

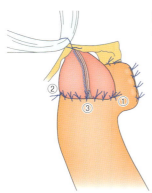

図38 閉鎖終了図
①, ②, ③の間を均等なピッチの結節縫合で埋めるイメージで行う.

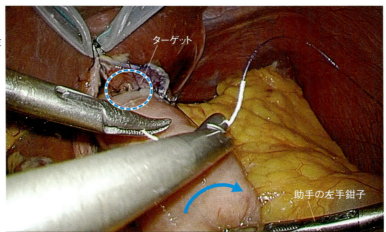

図39 共通孔右側縫合時の視野展開
助手の左手鉗子で挙上空腸脚を左側に展開して良好な術野を得る.

牽引する．術者が患者右側からアプローチするため，基本的にすべての縫合操作はフォアハンドで行うことが可能である．結紮操作は右手持針器で糸を把持してC-loopを形成し，左手のフラミンゴ型ジョウでルーピングして行う．緩み防止のため最初の結紮はdouble half knotで行う．時間短縮のため，その後はループの持ち替えは行わず，overwrap/underwrap法で計4回の結紮とする．1針ごとに糸端は1cm程度にして切断しておく．糸端を長めに残してしまうと，後の縫合・結紮でshort tailとの区別がつかなくなってしまう．共通孔右側を縫合閉鎖する際は，助手の左手鉗子で挙上空腸脚を患者左側に移動させ術野を展開する(図39)．食道空腸吻合部では食道が基本的に固定されておりスペースも狭いため，大きなmove the groundで縫合線の角度を調整することは不可能である．このため予定縫合線をイメージし，その線に合わせて針の把持角度を微妙に調整する必要がある．実際にはやや針を外側に向けた角度で把持することになる場合が多い．また運針を行う前に組織上に把持した針をあてがい，シミュレーションしておくことも非常に有効である(図40)．シミュレーションができていれば，食道側における針の出処も予想できるため，後は針先を組織に向けて押すようなイメージで運針を行うことができる．すべての縫合・結紮が終了したら，経鼻管を空腸側まで誘導し，空気を送りエアリークテストを行う．不安な部分があれば追加縫合を行う必要があるが，この際，経鼻管は針で巻き込まれないよう食道側に引き抜いておく．

A　領域別・術式別の縫合・結紮

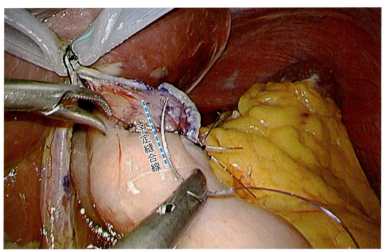

図40　運針時のシミュレーション
予定縫合線をイメージして，それに合わせるように針のマウント角度を調整する．運針する前に，組織上に針をあてがってシミュレーションを行っておく．

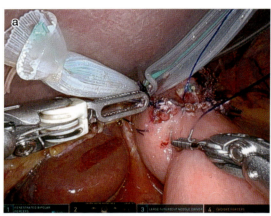 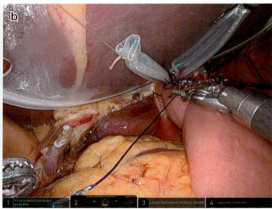

図41　ロボット支援手術
a：共通孔を barbed suture を用いて連続2層縫合で閉鎖する．
b：触覚が欠如しているため，糸の締まり具合を視覚で判断する必要がある．

　最近は簡略化のために，緩まず連続縫合が行える有棘縫合糸（barbed suture）である Stratafix Spiral plus 吸収糸（Ethicon社）3-0，20 cm長を用いている．また近年はロボット支援手術も広く行われるようになった．ロボット支援手術でも，共通孔を閉鎖する方法は同様である．しかし触覚が欠如しているため，糸の牽引による組織の締まり具合は視覚で判断する必要がある（図41）．

e. 胃部分切除後の縫合閉鎖

　粘膜下腫瘍をはじめとした胃疾患に対する胃部分切除あるいは胃切開部の閉鎖は，内視鏡下縫合・結紮のよい適応である．縫合不全のリスクは低いため，内視鏡下縫合・結紮の経験が浅い時期でも取り組みやすい手技であろう．また，自動縫合器を用いた閉鎖に比べ安価であるというコスト面でのメリットのみならず，胃の変形や狭窄が最小限に抑えられる機能的なメリットも期待される手技である．

図42　胃縫合線のイメージ
胃の変形が最小限になるように，狭窄，排出障害をきたさないようにイメージして決定する．胃体部小彎では長軸方向に縫合すると変形が少ない．食道胃接合部を含む場合，前庭部の大きな欠損では短軸方向の縫合線が必要となる．

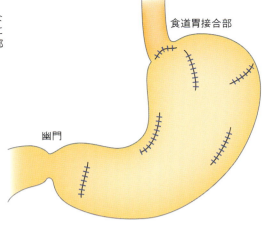

縫合方法，閉鎖方向

　縫合方法としては連続縫合，結節縫合どちらの選択も可能であり，胃壁欠損部の大きさ・位置とともに術者の好みや慣れを加味して判断される場合が多い．一般的には胃壁欠損部が大きい場合は時間短縮，効率性を考慮し，連続縫合が選択される場合が多い．一方，術後狭窄のリスクが高い状況では，結節縫合が選択される場合が多い．閉鎖方向の決定に際しては，基本的には術後狭窄や排出障害を予防する配慮が最優先される．さらにポートセッティングから考慮した"縫いやすさ"のバランスを考えて決定する．穹隆部や胃体部で欠損部が噴門にかからない限りは狭窄の可能性はほとんどなく，無理に短軸方向に閉鎖する必要はない．むしろ長軸・短軸方向にこだわらず，最終的な"自然な形のできあがり"をイメージして縫合閉鎖すべきである．胃体部小彎病変では無理に短軸方向に閉鎖すると排出障害が発生することも指摘されており，このような状況では長軸方向に閉鎖すべきとされる[11]．しかし切開部が食道胃接合部にかかってしまった場合や，前庭部の比較的大きな欠損部に対しては短軸方向に閉鎖して狭窄を予防すべきである．いずれにせよすべての症例において，できあがりのイメージを十分に頭の中でシミュレーションしてから閉鎖方向を決定する（図42）．基本的に胃壁の縫合閉鎖は全層1層縫合で行っている．

縫合閉鎖に用いる針糸

　筆者の施設では3-0モノフィラメント吸収性縫合糸＋26 mm半円針（3-0モノクリル；ジョンソン・エンド・ジョンソン社）を使用している．モノフィラメント糸か編み糸かの選択は，術者の好みで判断してよいと思われる．ただしモノフィラメント糸は連続縫合の際，緩みやすい特徴があることは知っておく必要がある．糸の長さは，結節縫合に用いる場合12 cm，連続縫合に用いる場合は縫合長に応じて16〜20 cmとしている．連続縫合の糸はそれ以上長いと腹腔内での取り回しに苦労することになる．鉗子は右手にKOHマクロ持針器，左手にフラミンゴ型補助持針器（いずれもカールストルツ社）あるいは通常の無傷性把持鉗子であるクローチェ鉗子を使用している．近年は有棘縫合糸（barbed suture）が広く使用されるようになった．糸が緩まないという大きな特長があるが，基本的な操作は通常の針糸と同様である．胃壁を同持針器で把持する場面では，細心の注意と愛護的な取り扱いが必要であることも忘れてはならない．筆者は同持針器で胃壁を把持すべき状況

A　領域別・術式別の縫合・結紮

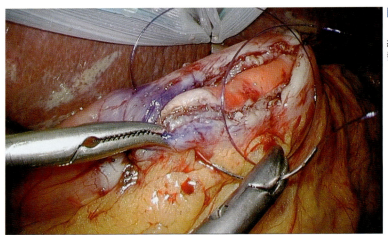

図43　左手補助持針器による胃壁把持
組織損傷や出血をきたさないよう，漿膜筋層のしっかりした部分をやさしく把持する．

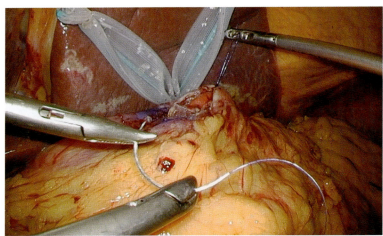

図44　助手による支持糸の牽引，展開
ターゲットを壁のように術者を向いた状況にすること，さらには縫合線を持針器の軸に一致させることが重要である．術者とターゲットの間にスペースを確保するため，ターゲット全体をやや頭側に動かしておくこともポイントである．

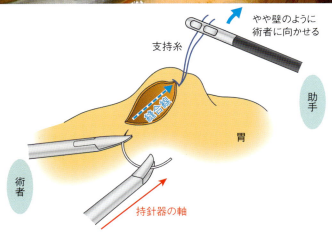

となった場合，なるべく漿膜筋層のしっかりした部位をやさしく把持するように留意している（図43）．

結節縫合の場合

　縫合方向を決定したら，まず両端を縫合閉鎖するのが基本である．さらにその2本のう

1．消化器外科領域における縫合・結紮の実際

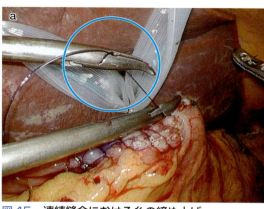 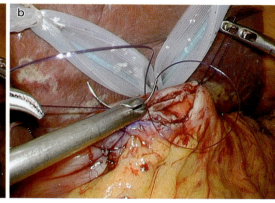

図45　連続縫合における糸の締め上げ
a：左手鉗子で糸を牽引しながら，右手持針器をV字に開いて組織に押しつける．糸は鉗子で真っ直ぐ牽引する（○）こと，適度な力で把持することにより，切断のアクシデントを回避することができる．
b：左手鉗子で糸を牽引しながら，右手持針器で把持した針の背中を組織に押しつける．

ち，より術者から遠い側の糸を長めに残しておき，助手に牽引してもらうとその後の縫合が行いやすくなる．このときの牽引方向の原則は，ターゲットがやや壁のように術者正面を向いた状況になること，縫合線を持針器の軸に一致させることである（図44）．助手の糸牽引を術者側に向けた状況にしてしまうと，術者の持針器と干渉する可能性が高く操作は困難となる．また胃後壁に欠損部がある場合は，胃を反転させた状態で，どちらの糸を牽引するか考える必要がある．欠損部が大きい場合は全長の1/2あるいは1/3間隔で大きく縫合閉鎖した後に，その間を細かいピッチで縫合して埋めていく方法もある．

連続縫合の場合（▶動画58）

縫合方向を決定したら，術者から遠い側の端に結節縫合で支持糸を掛けて連続縫合の終点として設定する．この糸は長めに残しておき，前述と同様の概念で助手に牽引して展開してもらう．術者は手前側から連続縫合で支持糸に向かって（奥に向かって）縫い上げ，最後に終点である支持糸と結紮し縫合閉鎖を終了する．連続縫合の場合は均等なピッチで運針するとともに，緩みが発生しないように随所で糸を締め込むことが必要となる．連続縫合で糸を締め込む操作は，①糸を牽引しながらV字型に開いた持針器を組織に押し当てる手法（図45a），②糸を牽引しながら持針器で把持した針の背中で組織を押し込む手法（図45b）を使い分けている．また糸を牽引する際は，持針器で軽く把持して真っ直ぐ引っ張ることが重要である．持針器での捻りが加わったり，必要以上に強い力で把持すると，糸が切断してしまう可能性がある．またリズムよく連続縫合を行うためには，スムーズな針の持ち替え操作が必須である．筆者は組織から針を抜いた直後に，次の運針に備えた把持→糸牽引での締め上げ→次の運針，といったリズムで行うようにしている．

最終確認

縫合終了後は必ず洗浄水を使用しながら縫合部位を確認する．狭窄が懸念される場合は術中経口内視鏡を用いて，管腔内スペースが保たれていることを確認する．

f. 胃切除後の内ヘルニアの予防

　腹腔鏡下胃切除においてRoux-en-Y法で再建した際の特有な術後合併症として，内ヘルニアによるイレウスが挙げられる．特に腹腔鏡下手術においては術後の腹腔内癒着が軽度であるため，開腹手術よりもその発生頻度が高いことが指摘されている[12]．米国で多く施行されてきた病的肥満に対するlaparoscopic Roux-en-Y gastric bypass（LRYGB）に関する報告では，潜在的間隙を予防的に縫合閉鎖することで，内ヘルニアの発生が有意に低下することが示されている[13, 14]．本邦で多く施行されてきた腹腔鏡下胃がん手術においても同様な傾向が報告されており[12, 15]，現在は腹腔鏡下にRoux-en-Y法で再建した際は，すべての潜在的間隙を縫合閉鎖するのが標準的な考え方であろう．

内ヘルニアの潜在的間隙

　Roux-en-Y法で再建した場合に発生する間隙は，
① 空腸空腸吻合（Y吻合）に伴う空腸間膜の間隙
② 挙上空腸間膜と横行結腸間膜の間に生じる間隙（Petersen孔）
③ 挙上空腸を通過させるための横行結腸間膜の孔
であり（図46），後結腸経路を選択した場合は①〜③のすべてが，前結腸経路の場合は①，②が発生することになる．筆者の施設ではRoux-en-Y再建は前結腸経路を原則としており，内臓脂肪過多などでどうしてもテンションが解除できない場合のみ後結腸経路を選択している．また胃全摘・幽門側胃切除ともにRoux-en-Y再建の手順としては，胃切除後に標本摘出→（小開腹下）空腸脚作製，空腸空腸吻合→（小開腹下）①の閉鎖→（腹腔鏡下）食道空腸あるいは残胃空腸吻合→（腹腔鏡下）②の閉鎖・③の閉鎖（後結腸経路の場合），の順序で行っている．なお，筆者の施設における腹腔鏡下胃切除における標準的ポート配置と小開腹創の位置は図47の通りである．

それぞれの間隙に対する閉鎖法

・空腸空腸吻合（Y吻合）に伴う空腸間膜の間隙
　筆者の施設では挙上空腸脚の作製およびY吻合は臍部ポートを拡大した小開腹創から（図47），体外操作で行うことを原則としている．したがってY吻合に伴う間膜の間隙も同様に小開腹創から直視下に縫合閉鎖している．使用している糸は3-0絹糸で，結節縫合であるが水平マットレス法で行い，なるべく隙間が生じないように配慮している．間隙中枢側の視野が悪い場合は，腹腔鏡操作に移行してその部分のみ体内で縫合閉鎖している．

・挙上空腸間膜と横行結腸間膜の間に生じる間隙（Petersen孔；▶動画59）
　臍部小開腹創からの縫合閉鎖は位置的に不可能であるため，腹腔鏡下の縫合閉鎖が必要となる．米国におけるLRYGBに関する多くの文献では非吸収糸を用いた連続縫合の閉鎖が推奨されている[13, 14]．筆者はこれらを参考に，以前は3-0絹糸を用いた連続縫合で閉鎖していた．まず挙上空腸脚を患者左側に移動させ，次に横行結腸間膜を頭側に挙上する．助手は右手鉗子で横行結腸間膜後葉の結腸近傍を，左手で挙上空腸間膜の空腸近傍を把持し，全体的に頭側に牽引する．この操作でPetersen孔は明確に展開される（図48）．まず助手が鉗子で把持している部分（頭側の上限）を結節縫合で閉鎖し，支持糸とする（図

1. 消化器外科領域における縫合・結紮の実際

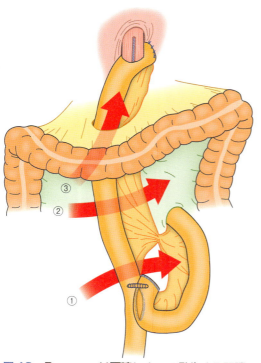

図46　Roux-en-Y再建によって発生する間隙
①空腸空腸吻合（Y吻合）に伴う空腸間膜の間隙，②挙上空腸間膜と横行結腸間膜の間に生じる間隙（Petersen孔），③挙上空腸を通過させるための横行結腸間膜の孔．前結腸経路を選択した場合は①，②のみ，後結腸経路を選択した場合は①〜③が生ずる．

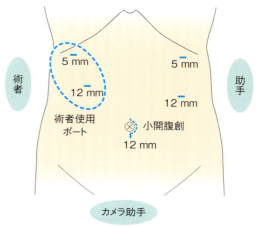

図47　腹腔鏡下胃切除におけるポート配置
内ヘルニア予防の間隙閉鎖を行う場面では，術者は患者右側に立ちpara-axialセットアップで縫合閉鎖を行う．

図48　Petersen孔の展開
患者左側に立つ助手が左右の鉗子で挙上空腸間膜，横行結腸間膜後葉を把持して頭側に牽引する．

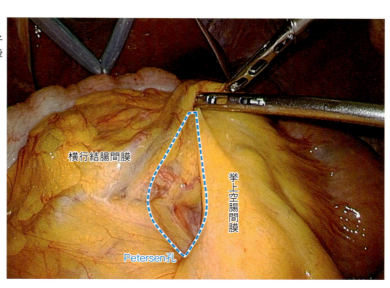

A　領域別・術式別の縫合・結紮

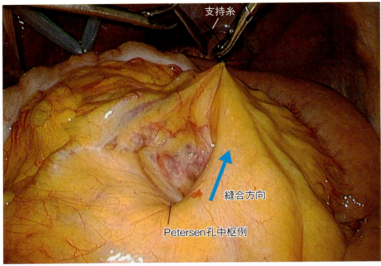

図49　Petersen孔縫合閉鎖の方向
助手は頭側の支持糸を頭腹側に牽引する．術者は中枢側から支持糸に向けて連続縫合で縫い上げていく．

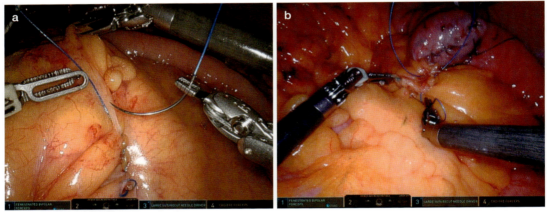

図50　ロボット支援手術
a：Petersen孔をbarbed sutureを用いて連続縫合で閉鎖する．
b：空腸空腸吻合に伴う腸間膜の間隙をbarbed sutureを用いて連続縫合で閉鎖する．

49）．この糸は長めに残して切断しておき，助手の右手で頭側に牽引してもらう．次に18 cmの長さの糸を用いて中枢側から連続縫合で，頭側の支持糸に向かって縫い上げていく．中枢側が確実に縫合閉鎖されていることを確認することが重要である．また，適宜，糸を締め上げて緩みが生じないように留意する．最後に頭側の支持糸と結紮を行いPetersen孔の閉鎖が終了する．最近は簡略化のために，緩まず結節が省略できる縫合糸（barbed suture）であるV-Loc PBT非吸収性（メドトロニック社）3-0，15 cm長を用いており，頭側の支持糸は不要となった．また近年はロボット支援手術も広く行われるようになった．ロボット支援手術でも，間隙を閉鎖する方法は同様である．しかし触覚が欠如しているため，組織への牽引の掛かり具合は視覚で判断する必要がある（図50）．

- 挙上空腸を通過させるための横行結腸間膜の孔

同部位の内ヘルニアは，そのほとんどが，挙上空腸が頭側に向かって滑脱するパターンであるため，挙上空腸脚を結腸間膜に固定するイメージで行っている．筆者の施設では，

1. 消化器外科領域における縫合・結紮の実際

図51　横行結腸間膜孔と挙上空腸の固定
滑脱型の内ヘルニアを予防するために結節縫合で固定を行う．

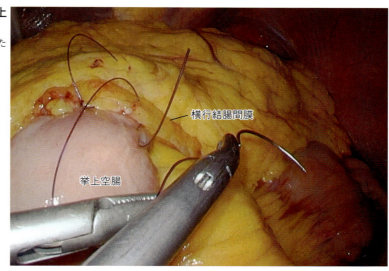

横行結腸間膜の後葉側から結節縫合で同部位の固定・閉鎖を行っている（図51）．もちろん挙上空腸に狭窄が生じないように配慮は必要である．

g. 胃腸吻合：腸管手縫い吻合

現在筆者らが行っている手縫い吻合は，重症肥満に対する腹腔鏡下Roux-en-Y胃バイパス術における胃空腸吻合および腹腔鏡下スリーブバイパス術における十二指腸空腸吻合である．

ここではこの2つに対して説明を行う．動画を参照しながら読んでいただきたい（▶動画60・61）．

腹腔鏡下Roux-en-Y胃バイパス術における手縫いによる二層吻合

胃バイパス術における手縫いによる二層吻合は技術的には最も難易度が高いが，縫合不全率は低いと考えられている．

筆者らは4本の吸収糸を用いた連続縫合を行っている．糸は3-0吸収糸半円26 mm SH針（ジョンソン・エンド・ジョンソン規格，メドトロニック規格ではV-20）を18 cmに切って用いている．筆者は腹腔内連続縫合時には糸の長さは18 cm，結節縫合時には12 cmとしている．1本目の糸で胃嚢のステープルラインと挙上空腸の腸間膜対側を連続縫合していく（図52a）．この際，片手で針を持って運針していくことも必要となることがある．吻合部となる部位の右側まで連続縫合を行ったら同糸をロックさせて置いておく．Pouchと空腸に12 mmのブジーが通る穴を開ける（図52b）．その後，全層縫合を左側後壁から行い，前壁1/2周部まで縫合する（図52c）．このときの前壁縫合には逆針での運針が有用である．3本目の縫合糸で吻合部左側腹側の残り1/4周に対して全層連続縫合を行う（図52d）．このときは2本目の糸の開始部と3本目の糸の開始部が重なるようにする．ここが重ならずに広がってしまうと縫合不全の原因となる．2本目の糸のshort tailと3本目の

A 領域別・術式別の縫合・結紮

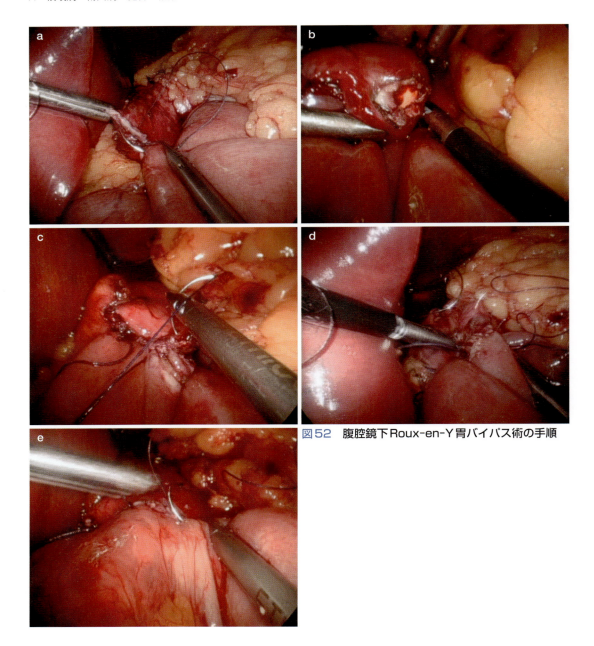

図52 腹腔鏡下Roux-en-Y胃バイパス術の手順

糸も結紮しておく．2本目の糸と3本目の糸とを結紮する前に，外径12 mmのブジーを吻合部に通過させてステントとして吻合径を確保してから結紮する．

ブジーを挿入したまま，吻合部腹側の漿膜筋層縫合を連続で行い(図52e)，1本目の糸と結紮し吻合を終了する．吻合終了後ブジーを抜去する．この吻合に要する時間は約15〜20分である．

腹腔鏡下スリーブバイパス術における十二指腸空腸吻合

トロッカーの挿入位置を示す(図53)．挙上した空腸と切離した十二指腸口側断端に漿膜筋層吻合を行う．術者は患者右側に立っている状態である．スコープは図53の①ポー

1. 消化器外科領域における縫合・結紮の実際

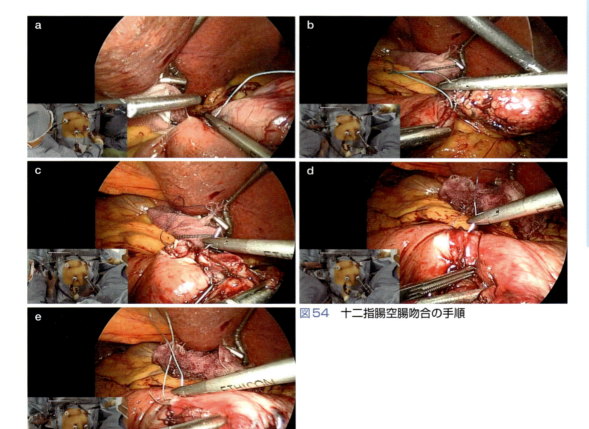

図53 ポート位置

図54 十二指腸空腸吻合の手順

トから挿入し，co-axialになるように操作を行う．十二指腸断端と空腸をend to sideで吻合するため1針固定した後(図54a)，図53の④からスコープを挿入する．術者は患者左側に立ち，図53の①，③のポートを用いて操作を行う．十二指腸断端のステープルを含むように吸収糸による連続縫合で後壁の漿膜筋層縫合を行う(図54b)．

その後，超音波凝固切開装置にて空腸，十二指腸に約2 cmの吻合孔を作る．吸収糸にて吻合部頭側から全層連続縫合を行う(図54c)．同様に前壁の全層連続縫合を行い(図

107

54d),後壁の全層縫合の糸と結紮する.

最後に前壁漿膜筋層縫合を連続で行い(図54e),後壁の漿膜筋層縫合の糸と結紮して吻合を終了する.

胃小腸の手縫い吻合は,最も縫合不全が少ないとされる.しかし腹腔鏡下手術の中で最も高度な技術を要する手技でもあると考えられる.左手の鉗子を有効に用いて組織を動かして運針の角度に合わせる"move the ground"技術と,針の角度を組織に対して適切に持つ技術,バックハンドでの運針の技術,無駄なく針と糸をコントロールする技術などが要求されるため,トレーニングボックスやアニマルラボを用いた十分な練習が必要である.

h. 胆嚢管縫合,胆管縫合

胆道系疾患は日常的に携わることが多いが,縫合・結紮手技を会得することにより様々な場面でその手技を応用することができる.単孔式腹腔鏡下手術を含む胆嚢管縫合,胆管縫合を中心に解説したい.

胆嚢管縫合

胆嚢管は通常,クリップで閉鎖している施設が多数を占めると思われる.しかしながらCalot三角部の胆嚢管結紮糸による視野展開や,胆嚢管肥厚例に対して胆嚢管の結紮は有用である.

- ポート位置

❶ 従来の腹腔鏡下胆嚢摘出術(laparoscopic cholecystectomy:LC)

LCのポート位置を図55に示す.術者は②,③のポートを使用する.体位は仰臥位でも開脚位,砕石位でも変わらないが,術者は患者左側に立ち頭高位15°とし,左下に5°くらいローテーションする.また術者の左脇が開くと安定した縫合・結紮が困難となるため,手術台の高さをあらかじめ調整しておくことが重要である.

❷ 単孔式腹腔鏡下胆嚢摘出術(TANKO LC)

臍部に術者の左右鉗子が挿入される.結紮に必要な鉗子間角度が狭いため,結紮手技は困難である.可能な限り左右のトロッカーの距離を離すか,屈曲鉗子を使用する工夫が必要である(図56).

- 結紮法

❶ 体外結紮

組織の縫合・結紮は通常体腔内で行うが,体腔内結紮に対して体外結紮の利点を知る必要がある.①組織や血管径が4mm以上ある場合,②ワーキングスペースが狭く体腔内結紮が困難な場合,③接合組織の張力が強い場合[16]などは体外結紮が有効である.胆嚢管結紮においては,胆嚢管肥厚がありクリッピングできない場合や,単孔式腹腔鏡下手術で胆嚢管を結紮する必要がある症例が適応となろう.体外結紮はRoeder knotを行うとよい(☞Chapter Ⅱ-E-3-e参照).

結紮糸は2-0より太い糸を使用し,150cmくらいの長さが必要である.糸が太くなれば結紮の力は強くなる.摩擦係数の観点からモノフィラメント糸は使用しない方がよい.

1. 消化器外科領域における縫合・結紮の実際

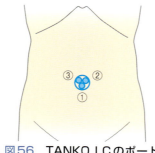

図55 LCのポート位置
①12 mmポート，スコープ
②12 mmポート，術者右手
③5 mmポート，術者左手
④5 mmポート，助手

図56 TANKO LCのポート位置
①5 mmポート，スコープ
②5 mmポート，術者右手
③5 mmポート，術者左手

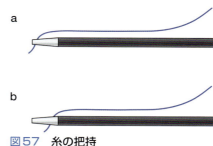

図57 糸の把持
a：正しい糸の把持．先端で糸を把持する．
b：誤った糸の把持．jawの近くで把持すると糸先端のコントロールが難しくなる．

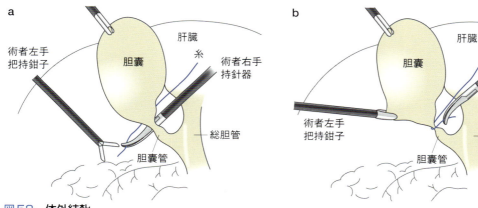

図58 体外結紮
a：糸の持ち替え．糸は腹側から背側に通す．
b：糸の体外への引き出し．糸はゆっくり引き出す．早く引き出すと胆嚢管を損傷する場合がある．

　LCの場合，図55の②のポートから糸断端の1 cmのところをメリーランド鉗子先端で把持し（図57），挿入する．③のポートから挿入した把持鉗子で糸を持ち替え（図58a），その糸をメリーランド鉗子で把持して②のポートから引き出す（図58b）．その際，助手は胆嚢を頭側に牽引しておく．

　次に体外でRoeder knotを作製し，メリーランド鉗子でknotをスリップさせながら胆嚢管を結紮する．

　TANKO LCの場合も手技はLCと同様である（▶動画62）．その場合は助手に胆嚢頚部を把持した鉗子を右側に牽引してもらう．

❷　体腔内結紮

　結紮動作までの手技は体外結紮と同様である．2-0より太い糸を使用し，12〜15 cmの長さに調整しておく．Calot三角部を展開して体外結紮と同様に図55の②のポートから糸を通す．結紮はsingle half knotでもdouble half knotでもどちらでもよい．single half knotで緩むときはslip knotに移行する．最低3回は結紮しておく（図59a）．

　TANKO LCの場合は，糸をCalot三角部に通す際に背側から腹側の手順で行う（図59b）．左手の鉗子を屈曲鉗子にすると比較的容易に結紮可能である（▶動画63）．

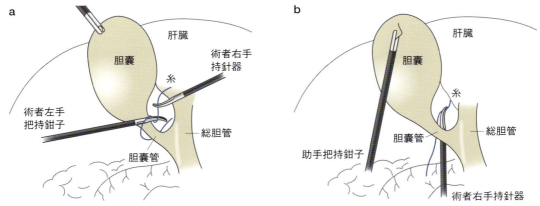

図59　体腔内結紮
a：胆嚢管の体腔内結紮．助手の鉗子で胆嚢を頭側に牽引すると胆嚢管が進展し結紮位置をコントロールしやすくなる．b：TANKO LC時の胆嚢管糸掛け．糸は背側から腹側に通す．

胆管縫合

　総胆管閉鎖には一期縫合とTチューブ留置がある．結紮手技に慣れていない場合は連続縫合ではなく結節縫合を選択した方が確実な閉鎖を期待できる．

- ポート位置

　ポート位置はLCの場合と同様である（図55）．術者は②，③のポートを使用する．Tチューブを使用する場合は②と③の間にTチューブを挿入する．通常は胆嚢管をクリッピングして胆嚢を肝床部から完全に遊離し，胆嚢管を切離する前に総胆管を切開し採石する．助手は肝臓を頭側に圧排するか，胆嚢を外側頭側に牽引する．頭高位15°とし，左下に5°くらいローテーションすると十二指腸は尾側に偏位し，総胆管前面の視野がよくなる．

- 一期縫合

　結石の大きさに合わせて総胆管を切開し採石を行う．総胆管閉鎖は17～22 mmの1/2弯曲丸針付モノフィラメント4-0吸収糸を12 cmくらいにして使用する．縫合間隔は2～3 mmとし，1 cmの切開創なら4～5針縫合することになる．

　縫合は肝門部から十二指腸側の方向に結節縫合を施行する（図60）．図55の②から挿入した持針器に把持した針糸の弯曲方向と縫合ラインは角度に通常はズレがあるため（図61），move the groundで胆管壁を確実に通針する．結紮はhalf knotでもdouble half knotでもよいが，square knotで3回以上結紮する．最初のhalf knotが緩んだ場合は再度やり直す．slip knotは縫合ポイントに過度の張力が掛かる場合があるため行わない．

　縫合の最後の1針は接合する胆管壁を1回の運針で通針しなければいけなくなる．その際に針の弯曲方向と縫合ラインが一致しないため，針の角度を変えて縫合ラインに垂直になるようにし，弯曲を利用しないで平行に運針する[17]（図62：▶動画64）．

- Tチューブ留置

　基本的には一期縫合と同様の手技になる．まずはじめに総胆管にTチューブを挿入した後に助手にTチューブを尾側に牽引してもらい，肝門部側に1針縫合する（図63a）．その後，Tチューブの十二指腸側にチューブがしっかりと固定されるように通針するが，接合総胆管壁に張力が掛かるためdouble half knotを行い3回以上結紮する．Tチューブをしっかりと固定した後，尾側の総胆管切開壁を結節縫合する（図63b）．

1. 消化器外科領域における縫合・結紮の実際

図60　総胆管縫合
肝門部側から十二指腸側に向かって結節縫合を進める．

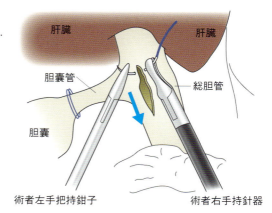

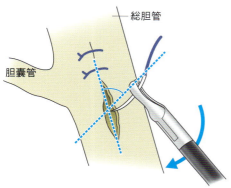

図61　縫合ラインと針の角度
トロッカーの位置によっては縫合ラインと針の弯曲角度は直交しない．

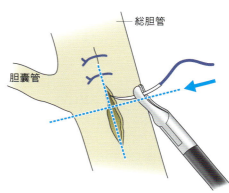

図62　縫合ラインと運針の調整
縫合ラインに直交するように針を持ち替え，弯曲を利用しないで平行に運針する．

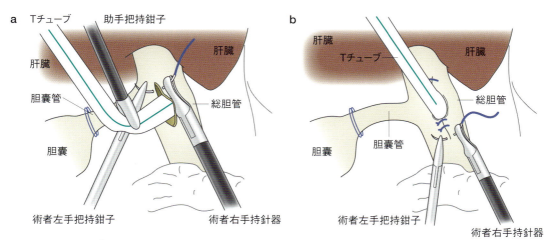

図63　Tチューブ留置
a：Tチューブの固定．初めの1針は助手にTチューブを尾側に牽引してもらい，肝門部側から縫合する．
b：総胆管切開創の閉鎖．Tチューブを頭側に牽引して十二指腸側の総胆管を縫合する．

i. 胆管・胆嚢管切開部の縫合

胆嚢管・胆管の縫合は，切石ルートとして切開した胆管壁を閉鎖する目的で行われる．ときにCチューブやTチューブなど，ドレナージやステント目的のチューブの固定も伴う．

ポート配置

術者右手鉗子は患者左肋弓下～側腹部（臍の高さ），左手鉗子は患者右側腹部前腋窩線上，臍の高さのポートから行うのがco-axialな角度で縫合しやすい（図64）．心窩部（術者右手）および右鎖骨中線上肋弓下（術者左手）のポートから縫合してもよい．心窩部のポートから縫合する際は，鉗子が総胆管切開口の腹側に垂直になるので，運針に工夫が必要で，直針やスキー針を用いる方法もある．

縫 合 糸

使用するのは，針付の吸収糸で，針は丸針で1/2周17 mm，4-0ないし5-0を使用する．モノフィラメント糸は滑りがよくテンションの調整が容易であるが，締めつけ過ぎに注意する．

連続縫合では，モノフィラメント糸は縫合の最後に糸の両端を引っ張ることにより締め具合を調整することができる．編み糸（吸収糸）は軟らかく扱いやすいが，連続縫合では縫い終わってからの糸の緩みの調整は難しいので，1針ごとの締め具合に注意する．編み糸による連続縫合終了後に縫合の途中に緩みが生じている場合は，縫合し直した方がよい．

結節縫合は，1針ごとに糸の締め具合を調整でき，バイトやピッチを変更できるので，確実な縫合が可能である．

糸の長さは，結節縫合は8 cm，連続縫合は10～12 cmが扱いやすい．

胆 管 縫 合

- 胆管縫合（一期的縫合）

筆者らは胆管切開は縦切開を基本としている．縫合は針糸を2本（糸の長さ8 cmと10～12 cm）用いる．糸の長さ8 cmの針糸を用い，切開口の尾側にアンカーとして結節縫合を1針置いた後，10～12 cmの針糸で肝側より連続縫合を行い，縫合の最後は最初に置いた

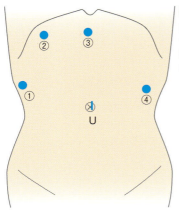

図64 胆管縫合のポート配置
U：スコープ挿入．術者は①と④を用いる．助手は②と③で術野を展開する．
持針器と針の角度が合えば術者が②と③を使用してもよい．

図65 胆管縫合（連続縫合）

連続縫合では左手の鉗子で糸を持ち上げて針を刺入することにより胆管壁が持ち上がり，バイトを調整することができる．

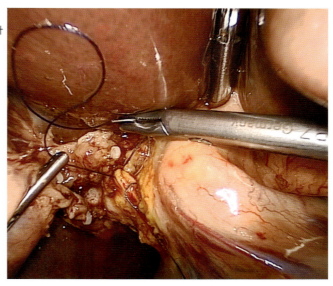

尾側の結節縫合の糸と結紮して終了する（▶動画65）．連続縫合では左手の鉗子で糸を持ち上げて針を刺入することにより胆管壁が持ち上がり，バイトを調整することができる（図65）．結節縫合を行う場合は頭側からピッチを調整しつつ行う．縫合のピッチとバイトは約2mmで行い，針の刺入を繰り返すと針穴から胆汁が漏出する原因になるので，刺し直さないように正確な運針を心掛け，胆管壁が薄い場合は針や糸の引き過ぎによる胆管の裂傷に注意する．運針は胆管壁全層に掛かっていることを確認し，粘膜を落とさないようにする．特に胆管壁が炎症で肥厚している症例は注意する．

• Tチューブ挿入

持針器が尾側から縫合部位に向かうポート配置では，Tチューブを切開口の頭側に寄せて，チューブわきの頭側から尾側方向に結節または連続縫合する（図66）．1針目の結紮はチューブを締めるように縫合する．

心窩部から縫合する際にはTチューブは尾側に寄せ，まずチューブを締めるように1針結節縫合した後，頭側から結節または連続縫合する．

胆嚢管縫合

胆嚢管結石または大きな胆管結石の経胆嚢管的切石において，胆嚢管を長軸方向に縦切開し切石した後の縫合である．結節縫合がバイト，ピッチを調整しやすい．胆管側から胆嚢側に向けて縫合を進める．Cチューブを挿入している場合は，チューブを損傷しないように注意しながら胆嚢管壁を縫合する（▶動画66）．チューブがなく，胆嚢管を閉鎖してよいときは連続縫合でもよい（▶動画67）．胆嚢管と胆管の隔壁よりも末梢側（胆嚢側）では，管の内腔を閉鎖してしまってよいのでバイトを大きめにとり確実に縫合閉鎖する．

縫合のポイントは，術後の膿瘍形成や胆管狭窄を回避するために，適切な縫合を行い術後の胆汁漏出を避けることである．

A　領域別・術式別の縫合・結紮

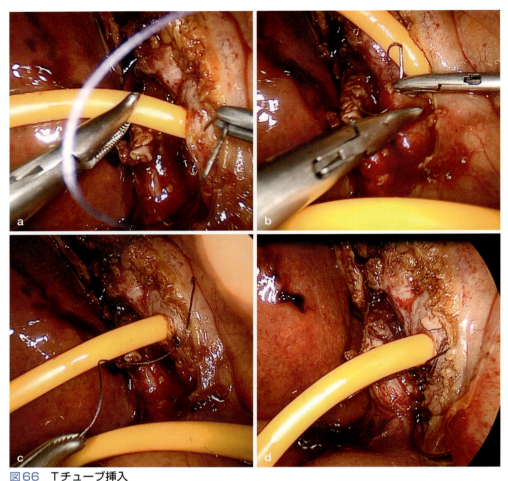

図66　Tチューブ挿入
胆管左壁から(a), 右壁にTチューブを取り巻くように針糸を刺入し(b), 結紮する(c). d：縫合終了時.
Tチューブは頭側に寄せて結節縫合を行った.

j. 胆管空腸吻合, 膵空腸吻合

　腹腔鏡下膵頭十二指腸切除術（laparoscopic pancreatoduodenectomy：LPD）は新たな低侵襲手術として期待されているが, 各施設における導入時期の安全性の確保が重要な課題となる. 導入の際は, 例え十分な膵臓手術の経験があっても, 内視鏡外科手術の技能を十分に習得しておく必要がある. 本項ではLPDの再建で行う膵空腸吻合および胆管空腸吻合の方法とポイントについて解説する.

ポート配置と術野展開（図67）

　筆者の施設でのLPDの体位は開脚頭高位, 12 mmの5ポートを使用している. 鉗子を用いた肝臓の挙上のため, 5 mmポートを心窩部に追加する. 胆管空腸吻合を行う際は, 3 mmポートは正中よりやや右側の肋弓下に挿入する. 標本切離までは臍からスコープを挿入しpara-axialで行うが, 胆管空腸吻合の際に術者は患者の右側に立ち, スコープを右

114

1. 消化器外科領域における縫合・結紮の実際

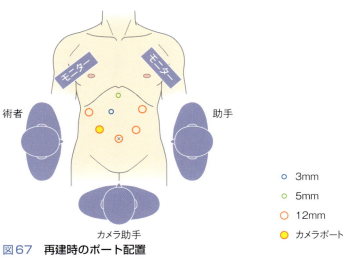

図67 再建時のポート配置
再建時はカメラポートを図の位置にする．肝臓の挙上には5mmポートを使用する．吻合持針器用の3mmポートを正中やや右の肋弓下に追加挿入する．

○ 3mm
○ 5mm
○ 12mm
● カメラポート

下のポートより挿入し，右手は縫いやすい位置に新たに3mmポートを挿入してco-axialポジションで行う．カメラ助手は患者の脚間に立つ．デバイスの軸が合わず必要と思われる場合は，躊躇なくポートを追加している．

胆管空腸吻合（▶動画68）

　腹腔鏡下胆管空腸吻合を安全・確実に行うには，良好な術野のもと愛護的に運針することが必要である．術者は患者の右に立った方が胆管後壁・内腔を良好な視野で展開しやすい．また，胆管への運針は腹腔鏡下では背側から腹側に掛けた方がやりやすい．5-0吸収性モノフィラメント糸（5-0 PDSII；ジョンソン・エンド・ジョンソン社）を用い，連続縫合にて行っている（図68）．

　胆管正中腹側の位置を0時とした場合，最初の運針を3時方向から行うと次の後壁の運針操作が難しくなるため4時から開始する（図68a）．助手が空腸肛門側を把持し，左腹側に挙上すると後壁の運針の際に胆管の後壁が確認可能となる．また，運針した糸を助手が上方に牽引することで次の運針が容易になる．無理な回転運動は胆管裂傷し針穴を大きくするため，胆管に針を通す際は，針先を腹側に向けて把持し，後壁の良好な視野のもと刺入点を決める．針先は直線的に上方へ通し，術者の左鉗子で胆管後壁を背側に引き，回転運動なく運針する（図69）．糸の長さは後壁15 cm，前壁12 cmで行い，持針器は3 mmの細径のものを用いている．運針の際に持針器自体が視野の妨げになることがあるので，細径の持針器は特に正常胆管において有用である．

　後壁の縫合を左から右に向け開始し10時まで行う（図68b）．前壁の縫合を3時から10時にかけて左から右に行い，最後に前壁と後壁の糸を結紮している（図68d）．胆管空腸吻合後の胆汁漏や晩期合併症として術後の胆管狭窄が問題となるため，縫合の際には締めつけ過ぎないなどの注意が必要である．また，胆管径が細い場合は2mmのRTBDチューブをロストステントとして留置する．

A　領域別・術式別の縫合・結紮

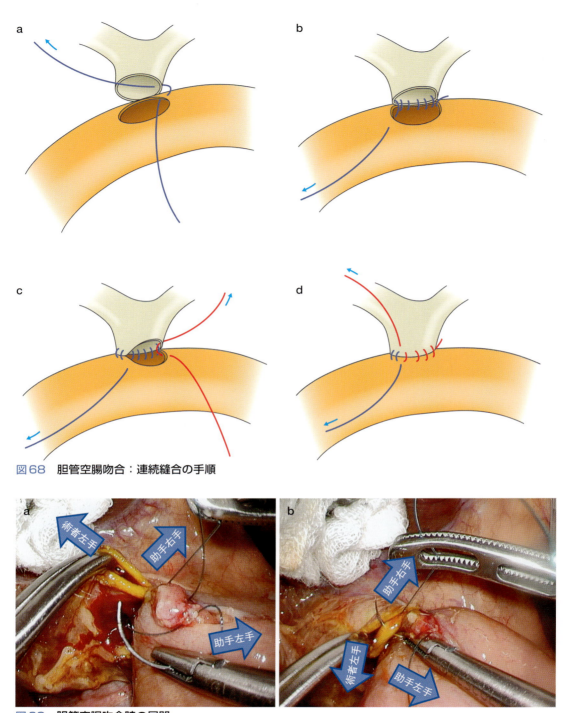

図68　胆管空腸吻合：連続縫合の手順

図69　胆管空腸吻合時の展開

膵空腸吻合（スーチャークリップを用いたBlumgart変法；▶動画69）

　膵空腸吻合はスーチャークリップ（ラプラタイ；ジョンソン・エンド・ジョンソン社）を用いたBlumgart変法にて行っている．膵実質，空腸漿膜筋層吻合は4-0非吸収性モノフィラメント糸（4-0ネスピレン30 mm，ネスコスーチャー；アルフレッサファーマ社）を

116

図70　膵実質，空腸漿膜筋層吻合用の糸

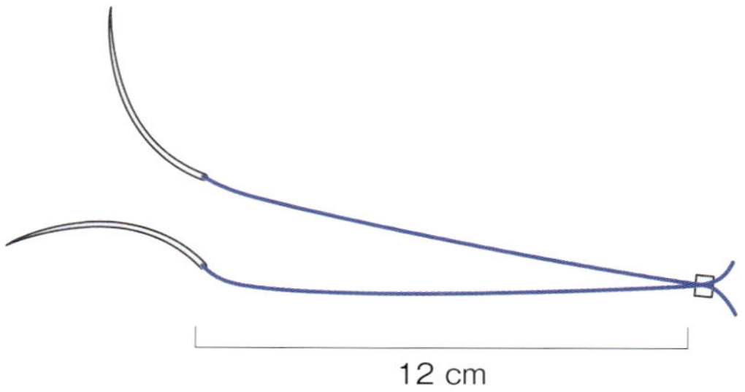

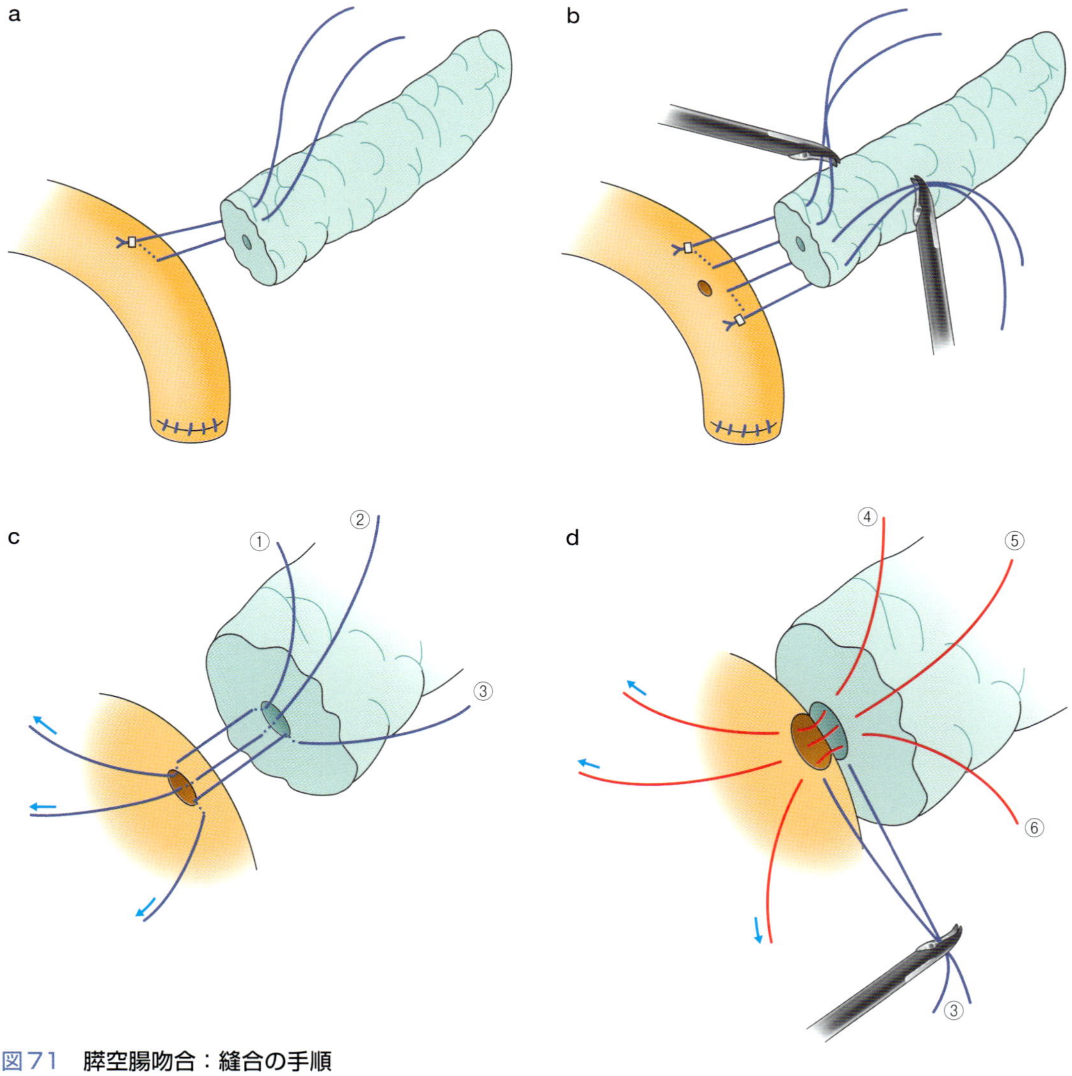

図71　膵空腸吻合：縫合の手順

　用い，2本ペアであらかじめラプラタイをアンカーとして12 cmの長さの位置で固定し，両端針にしておく（**図70**）．空腸背側の漿膜筋層に両端針のそれぞれの針糸を掛けた後，膵前面の被膜を含め，膵背側から腹側に向け貫通性に針を通す（**図71a**）．
　主膵管の上下2ヵ所で行い，掛けた糸はクリップで固定しておく（**図71b**）．腸管に小孔を開け，膵管粘膜吻合に移行する．腸管粘膜を翻転させるため粘膜と漿膜筋層に1針掛け

ておくと運針操作がしやすくなるので，難しい症例には行うとよい．膵管空腸粘膜吻合は結節吻合で行っており，5-0吸収性モノフィラメント糸(5-0 PDSII)を用いる．一部膵実質を加えた膵管および空腸全層で後壁に3針，前壁に3針の計6針を基本としている．後壁側に3ヵ所運針し針を通した後に，頭側(**図71c**の①)と背側後壁の糸を結紮する(**図71c**)．後壁尾側の糸は前壁の運針をしやすくするために最後に結紮する．膵管ステントを留置し先の5-0 PDSIIで固定する．前壁に3針結紮し，最後に尾側後壁の糸を結紮し，膵管空腸粘膜吻合となる(**図71d**)．最後に，あらかじめ掛けてある膵実質空腸漿膜筋層吻合の糸で腸管の前壁に糸を掛けた後に，ラプラタイで固定する．

k. TAPP法による腹膜閉鎖

　鼠径ヘルニアに対する内視鏡下手術には腹腔内到達法(transabdominal preperitoneal repair：TAPP法)と腹膜外到達法(totally extra-peritoneal repair：TEP法)があるが，本項ではTAPP法による腹膜閉鎖のテクニックについて述べる．

　TAPP法での腹膜閉鎖のポイントは，針の適切な刺入角を意識することに尽きる．切開された腹膜は前腹壁より垂れ下がり垂直となる．運針の際に適切な刺入角である90°を維持するには針先は水平であることが望ましい(**図72**)．

　この刺入角が浅いと針穴が大きくなり，針先で腹膜を裂いて穴が開き，メッシュが露出して腸管癒着やイレウスの原因ともなりかねない．

　腹膜縫合閉鎖は通常，連続縫合で行うが，このときの糸の長さは20 cm程度としている．それ以上長い糸は腹腔内での扱いが困難となる．第一結紮でshort tailをできるだけ短くすることが，以後の縫合で長く糸を使うポイントとなる．

　連続縫合は縫い進む方向，すなわち右手での運針であれば，病変の左右に関わらず右から左を基本とする(**図73**)．長い糸が運針の妨げにならないように，右手持針器のハンドル側に糸をさばいておく．また，縫合の際に1針ごと長い糸をさばくには時間がかかる．ある程度連続縫合を行った後に糸を縫合方向にゆっくり引き寄せれば，時間は短縮される．

　針の方向を意図する角度に把持するポジショニングは連続縫合に欠かせない手技である．トレーニングによってこの手技を身につけることが重要であることは言うまでもないが，ここではこの作業を省略する方法，「クルクル運針」を供覧する(▶**動画70**)．要点は持針器を振りかぶらずクルクルと一方向への回旋で運針を行うことである．これでよい刺入角がおのずと得られる．

　運針の繰り返しは腹膜から刺出した針を左鉗子で導出し，右持針器でそのままの角度を維持したまま針を把持する．こうすることで針先の微調節のみでポジショニングが容易となる．運針は時計回りの回旋を行う．

　終止結紮はthree legsもしくは糸止め結びで行う．

　knotlessのV-Locクロージャーデバイス(メドトロニック社)を用いての腹膜縫合では結紮の必要がなく，非常に有用な縫合糸である(**図74**)．注意点としては終止結紮の代わりに厚い組織に追加の刺入を行うことや糸尻を残さないことが挙げられる．通常の縫合糸とは違い連続縫合を外側から開始し，内側臍ひだで終止縫合を行う必要がある．右鼠径ヘルニア(▶**動画71**)と左鼠径ヘルニア(▶**動画72**)の動画を供覧する．終止縫合は内側臍ひだに加える．

1. 消化器外科領域における縫合・結紮の実際

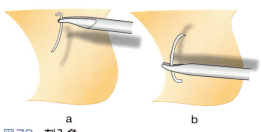

図72　刺入角
a：不十分な刺入角では垂れ下がった腹膜は縫えない．
b：針を裏返し，針先を水平にすることで十分な刺入角が確保できる．

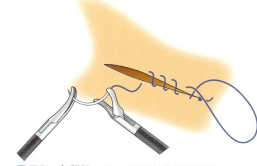

図73　右鼠径ヘルニアの腹膜連続縫合
short tail は短く，運針は右から左へ行う．

図74　V-Loc クロージャーデバイス
薄い腹膜ではこの縫合糸を使うことで裂けにくくなる．
［メドトロニック社資料より引用］

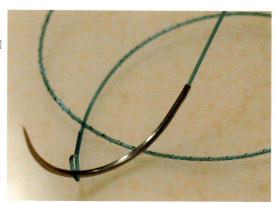

I. 腹壁瘢痕ヘルニア縫合閉鎖

　これまで行われてきた腹腔鏡下 intraperitoneal onlay mesh repair（IPOM）修復術後の強い疼痛の軽減や，腹腔内留置メッシュによるメッシュ腸管瘻などのメッシュ関連合併症を避けるために，近年 enhanced-view totally extraperitoneal（eTEP）アプローチによる腹壁瘢痕ヘルニア修復術 Rives-Stoppa 法（RS）や transversus abdominis muscle release（TAR）が報告され[19]，本邦でも徐々に広がっている．TAR を用いれば腹直筋を片側で 8〜12cm 正中に寄せることができるので，IPOM では閉鎖が困難であった横径 10cm 以上のヘルニア門でも閉鎖が可能になる[20]．本項では eTEP アプローチについて述べる．
　eTEP-RS/TAR は主に以下の手順で行う．
①腹直筋後腔の剝離
②腹腔内に入らず反対側の腹直筋後腔に到達する"crossover"と呼ばれる手技を行う．
③ヘルニア囊の処理
④ヘルニア門の数や大きさによって RS に加えて TAR を行う．TAR によってヘルニア門閉鎖時の緊張を減らし，大きなメッシュの腹膜外留置が可能となる．
⑤後層の縫合閉鎖
⑥前層の縫合閉鎖

⑦メッシュ留置．前層を縫合すると空間が狭くなるので，その前にメッシュ留置を行うこともある．
⑧ドレーン留置，閉創

　本項では，縫合・結紮手技を要する部分である⑤，⑥について解説する．ヘルニア門の部位は恥骨上や心窩部，側背部など様々であるため，ターゲットとポートやスコープの位置関係は症例により異なる．また，腹腔鏡下IPOM修復術ではヘルニア門閉鎖時に経皮的に運針して単結節縫合することが多いが，eTEPアプローチを用いた腹壁瘢痕ヘルニアでの縫合では，内視鏡下に連続縫合で閉鎖することが可能となり，それによりさらなる創部メッシュ感染の低減が期待できる．しかし，他の手術では縫合しないような天井側にある固い瘢痕組織を縫合するため，慣れないうちは非常に難しく感じる．

セットアップ

　ここでは最も頻度が高い腹部正中の腹壁瘢痕ヘルニアについて示す．
　全身麻酔下，仰臥位，両上肢は体幹固定で手術を行う．ベッドを反らせ剣状突起と恥骨の間が伸びるようにする（図75）．上半身は水平で下腿側を下げることで，頭側方向に縫合する際に術者鉗子が患者の大腿部に当たることを防ぐ．

手技のポイント

　後層縫合時には，術後の後層離開によって腸管が隙間から入り腸閉塞になるintraparietal herniaという合併症の恐れがあるため，十分に剝離を行い，緊張がないことを確認し，隙間がないように縫合する．この際，腹直筋後鞘でなくて腹膜を寄せて縫合してもよい．前層縫合時には腹直筋前鞘に運針し，なるべく腹直筋には針を掛けない．強い腹圧によって術後に前層縫合糸が切れることがあるので，狭いピッチで運針する．瘢痕ヘルニアの縁は非常に硬く，慣れないうちは針がうまく刺通できないことがあるため，針を持針器に対して直角に持てるように，あらかじめ鉗子の軸を意識してポート留置位置を決定する（図76）．

縫合の実際

　後層は，2-0吸収糸で奥から手前に連続縫合閉鎖する．有棘縫合糸でも編み糸でもよい．前層は，1または0号の非吸収性有棘縫合糸で連続縫合閉鎖する．針を掛ける向きは右から左でも，左から右でもやりやすい方でよい．V-Loc PBT 1（メドトロニック社）であれば，糸が45 cmと長いので2, 3針ごとに12 mmポートから引き出して牽引して締めることにより，術者の手の感触で適切な緊張を持った閉鎖が可能となる．または，先に運針してから1本ずつ奥から靴ひもを締めるように，順番に少しずつ締める方法がある（靴ひもテクニック"shoelace technique"と呼ばれる）．太い糸であっても鉗子で強く牽引すると切れることがあるため注意を要する．術後の漿液腫予防のためにヘルニア嚢の空間を潰すようにヘルニア嚢にも運針する（図77）．この際に針が皮膚から体外に出ないよう注意する．大きなヘルニア門では前層縫合に複数本の針糸を使用する．新しい針に変えると先が鋭く糸が長いので縫合しやすい．そのため，2本使うのであれば，1本目が短くなってから新しい針を出すのではなく，計画的にヘルニア門中央で2本目を使用するとよい．

1. 消化器外科領域における縫合・結紮の実際

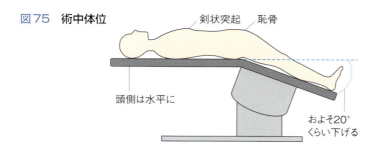

図75　術中体位

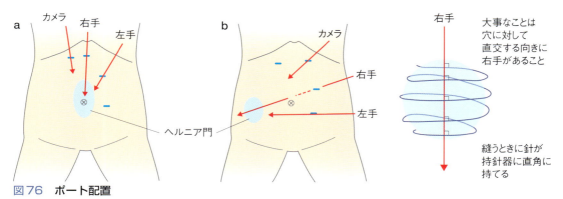

図76　ポート配置
a：正中のヘルニア，b：側腹部のヘルニア

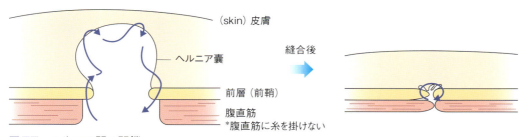

図77　ヘルニア門の閉鎖
ヘルニア嚢の空間が潰れる（消失する）ので術後にseroma（漿液腫）にならない．

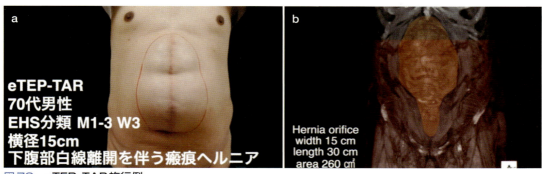

図78　eTEP-TAR施行例
a：術前写真，b：術前3D-CT．ヘルニア門の位置と大きさを示す．

A　領域別・術式別の縫合・結紮

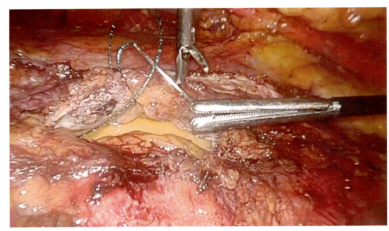

図79　後層の縫合
このときはカメラが手前から見ていて，ミラーイメージでの縫合が必要になった．

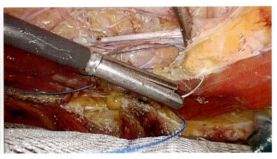

図80　前層の縫合
なるべく腹直筋に針を掛けないように刺通する．para-axialで左から順に術者左手，術者右手，カメラの順にポート配置しているため，運針は画面上で左から右に掛ける方が針先は見えやすい．co-axialよりpara-axialの方がカメラ助手の手と干渉が少ないので，慣れると縫合が容易に感じる．

　横径15 cmの瘢痕ヘルニアにeTEP-TARを施行した（図78〜80；▶動画73）．

トレーニング方法

　天井縫合モデルを作成し自宅でも練習が可能である．縫合するパッドは硬いものを選ぶことで実際に近い感触が得られる（図81）．単に運針や糸さばきの練習であれば，軟らかいパッドを使用する（図82，図83）（▶動画74）．様々な角度で縫合する練習を行う．また，co-axial，para-axialセッティングではまれに左手で縫合した方がよいこともあるので，その練習が必要となる（図84）．

　パームグリップでの自宅縫合練習の様子を図85（▶動画75）に示す．

　様々な利点があるeTEPアプローチを用いた腹壁瘢痕ヘルニア修復術であるが，最初の剝離と最後の縫合に時間がかかる．手術時間を短くするためには慣れない天井縫合に習熟する必要がある．上達のために練習を続ける方法として，筆者はWeb会議システムで仲間を集め毎週末に合同練習会をしている．上達のためには習慣化することが重要であると考えている．

1. 消化器外科領域における縫合・結紮の実際

図81 自作した天井縫合モデルとそれを用いた練習動画（▶動画74）

図82 トレパッド渦巻スーパーソフトとオムニトレーナー
任意の角度での縫合練習が可能になる．
［KOTOBUKI Medical社より写真提供］

図83 LapaStaとJPTC MUGEN Model Stand
任意の角度での縫合練習が可能になる．
［日本高分子技研株式会社より写真提供］

A　領域別・術式別の縫合・結紮

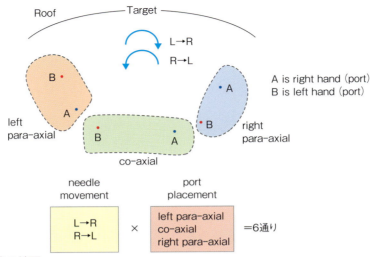

図84　天井縫合の練習
co-axial, para-axial（左右），運針方向の全部で6通りある．ターゲットとポートの位置を少しずつ変えて練習する．鼠径ヘルニアは"壁縫い"，瘢痕ヘルニアは"天井縫い"である．鉗子の先端が腹腔内の天井に近づくほど鉗子の持ち手の部分は下がってくるので，患者の体幹に当たりがちになる．そのため左手はなるべく鉗子に指を入れないパームグリップでも縫合できるように練習する．

図85　自宅の練習環境
オンライン上で定期的に仲間を集めて一緒に練習する．堅苦しくない自由な雰囲気を大切にしている．

2．泌尿器科領域における縫合・結紮の実際

　泌尿器科領域で腹腔鏡下に縫合・結紮を行う手技は，腎盂尿管移行部狭窄に対する腎盂形成術，前立腺がんに対する前立腺全摘除術における膀胱尿道吻合，小径腎がんに対する腎部分切除術における切除断面の縫合が主なものである．しかし近年，これらすべての術式はロボット支援腹腔鏡下手術が保険収載され，その多くはロボット支援手術において行われている．膀胱がんに対する膀胱全摘除術における尿路変向術も同様である．したがって，泌尿器科領域では純粋に腹腔鏡下に縫合・結紮を行う機会はかなり限定的と言えるが，ロボット支援導入前の施設での手術やレスキュー的な場面での手技として，その基本的考え方やコツを知っておくことは必要である．今となってはロボット支援手術に至るまでのステップとなった感があるが，筆者の経験を紹介する．

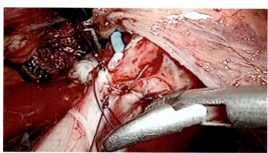

図86　腎盂形成術における針の扱い方

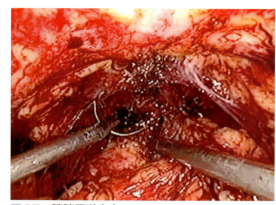

図87　膀胱尿道吻合

腎盂形成術における針の扱い方

　腎盂形成術の腎盂と尿管の吻合は全層縫合で行う．粘膜の外翻を避けるため，粘膜面を漿膜面より大きく取るように運針する．17 mm針RB-1で糸は4-0モノクリル（ジョンソン・エンド・ジョンソン社）を，持針器は3 mm径のものを用いていた．左手は同じ持針器あるいはときに組織も把持するためメリーランド型バイポーラを用いて，把持した組織のダメージを最小限にするよう努めた．繊細な手技でありカメラの大きな移動を避けたいため，吻合部を引き寄せる必要があるanchor sutureのとき以外は糸の長さは可及的に短くした．そのため，overwrap/underwrapを繰り返して結紮したが，long tailは針を持つことにより長さとC-loopの弯曲を確保した．針の弯曲の懐を手前あるいは下側に向けてC-loopの形を作り，左手持針器の通り道を開けた．針の持ち方を逆にすると，C-loopが潰れて左手持針器の通り道がなくなる．針はラチェット機構を用いず軽く把持して操作すれば，針を尿管に当てるだけで，C-loopを作るための針の把持方向を容易に変えることができる（図86：▶動画76）．

膀胱尿道吻合における運針とslip knot

　膀胱尿道吻合の難しさは，膀胱の内尿道口と尿道の全周に運針するために，右手・左手両持針器による順針・逆針の運針が求められることである（図87）．微妙な角度の違いには針を持つ位置で対応するが，習得には十分なトレーニングが必要である．さらに，前立腺を摘出した距離の分だけ膀胱を尿道まで引き寄せる必要があり，slip knotの技術も求められる．骨盤の最深部の狭い場所で，あらゆる運針の技術と縫合手技が求められる（▶動画77）．

　膀胱尿道吻合には，5/8弯曲の26 mm針UR-6か1/2弯曲の22 mm針SH-1のバイクリル（ジョンソン・エンド・ジョンソン社）を用いていた．また，尿道側に内外で正確に粘膜面から運針するため，先穴のブジーを用いて運針していた．当初は結節縫合で全周の運針を行っており，慣れるまでは5/8弯曲の針の方が運針が容易と考えていたが，慣れてくると1/2弯曲の針でも問題なく行うことができるとわかり，より細く小さい針を用いるようになった．尿道6時側の運針にブジーを用いる手技はしばらく残ったが，慣れとともにそれも不要になり，尿道カテーテルによる誘導で十分となっていった．さらにbarbed sutureの登場で，膀胱尿道吻合では連続縫合が優勢となり，結紮が不要となった．そして，

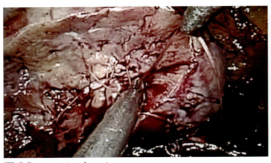

図88　central suture

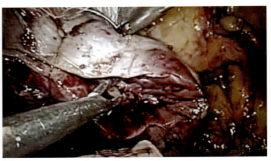

図89　parenchymal suture

　現在のロボット支援腹腔鏡下前立腺全摘除術で一般的な，2本のbarbed sutureを繋げて膀胱6時側から反時計回り・時計回りの2方向から連続縫合で吻合を完成させていく形へと移行していった．ロボット支援手術では22 mm径のSH-1よりさらに小さい17 mm径のbarbed sutureで行っている．

腎切除断面の縫合

　腎の切除面の縫合は露出した尿路断端の閉鎖，尿路周囲の葉間動脈などの止血のために行ういわゆるcentral sutureと，腎実質を合わせるparenchymal sutureの二層で行うのが一般的である．central sutureは連続縫合で行われることが多い．尿路が大きく開いた場合は尿路だけをまず縫合し，続いて止血縫合を行うこともあるが，尿路の開放部が小さければ併せて行うことが多い．一般的にはSH-1針の3-0バイクリルを用いることが多かったが，阻血時間短縮のため最近ではもっぱらbarbed sutureが用いられている．▶動画78にはbarbed suture登場以前の，断面内でまず結紮した後の連続縫合と，その縫合を十分締めるためにもう一方の端にZ縫合を置き，その糸と連続縫合のlong tailをslip knotで締める手技を供覧した．Z縫合を締める際にもslip knotを用いている（図88）．現在ではロボット支援手術の場合と同様に，barbed sutureを用いるか否かに関わらず，糸の端をクリップで止めて切除面外の腎表面から切除面に運針し，連続縫合でcentral sutureを行った後，さらに切除面からentry pointと対側の腎表面に運針してクリップで止める手技が一般的と思う．

　parenchymal sutureは結節縫合で行う場合と連続縫合で行う場合がある．▶動画79ではCT-1針の2-0バイクリルを用い結節縫合で行っているが，結紮したとき，寄せた切除面の腎表面での高さが合うように，切除面のedgeからentry pointまでの距離と切除面のexit point，切除面対側のentry pointまでの距離，腎表面対側のexit pointまでの距離を調整して運針する．切除面のexit pointとentry pointをあまりに切除面底部の中心線に近い所に設定すると，腎表面で切除面が反り返り，両側のedgeが合わないので，切除面のedgeと中心線の中間あるいは中間からやや深い位置くらいに設定するのがよい．square knotを作った後にslip knotで切除面を合わせていく（図89）．切除面全体の半分程度の縫合が終わったら，early unclampingで腎動脈の阻血を解除し，阻血時間の短縮を図る．

　連続縫合で行う場合は結紮操作はまったくなくなる．筆者は現在ロボット支援手術で行っているため，腹腔鏡下での腎部分切除術での連続縫合によるparenchymal sutureの

経験はないが，腹腔鏡下手術においても同様の手技となると思われる．central suture のときと同様に，切除面外の腎表面から刺入し，切除面のedgeと中心線の中間あるいは中間からやや深い位置くらいに切除面のexit point，再entry point を設定し，対側の腎表面に運針する．short tail はクリップで止め，対側の腎表面に出たところでlong tail にもクリップを掛けて仮止めする．クリップは1回の運針ごとに掛けてもよいが，2回運針してから掛けてもよい．結節縫合のときと同じく，切除面の半分くらいの運針が終わって切除面がうまく合ってきていると思えば，early unclamping が可能である．次の運針にかかる前にすでに掛けたクリップの位置を調整する．long tail を軽く引いて，切除面がきつくも緩くもない程度に合うようにクリップの位置をずらしていく．その後，さらに運針を繰り返し，切除面全体が合うまでlong tail とクリップに同様の操作を行う．糸は編み糸よりもモノフィラメントの方がよい．編み糸は腎実質内の滑りが悪く，実質が裂けやすい．筆者はモノクリルを用いている．滑りがよい点と，すべての運針が終了したときにentry point 側で short tail を軽く引いて緩みを取ることも可能な点が好ましい．barbed suture ならはじめから緩みが少ないかもしれないが，運針のはじめは切除面を十分に寄せることが難しいこともあり，最後にshort tail 側を引くと組織が裂ける恐れもある．全体のentry point，exit point のクリップの位置の調整を終えたら，ラプラタイ（ジョンソン・エンド・ジョンソン社）でクリップの位置を固定する．

3. 婦人科領域における縫合・結紮の実際

　婦人科領域に特別の縫合・結紮法が存在するわけではなく，すでに基本の縫合・結紮法は解説されているが，ここでは婦人科手術で頻用される縫合法として連続縫合，結紮法としてslip knot 変法を紹介する．

連続縫合（図90；▶動画80）

　良性疾患に対する腹腔鏡下子宮全摘術では，術後の癒着防止のために腹膜縫合を行う場合が多い．腹膜を一気に連続縫合するコツを紹介する．

　腹膜を一気に連続縫合するために比較的大きな針を用いる（図90では48 mm 1/2弯曲針を用いている）．そして針を動かすのではなく，縫われる対象（この場合は腹膜）を針に乗せるイメージで連続縫合を行う．針を動かすイメージで行うと，針に乗せた腹膜が滑り落ちてしまい，長い距離の連続縫合を一気に行うことができない．縫われる対象物を動かす"move the ground"のイメージが大切である．

slip knot 変法（図91；▶動画81）

　slip knot の基本的な方法はすでに他項で解説されているが，ここでは婦人科手術に頻用されるslip knot 変法を紹介する．

　婦人科の場合，結紮の対象は子宮や腟など比較的しっかりした組織の場合が多く，その場合にこの方法は適しているものの，結紮の対象が脆弱な組織（腸管など）の場合は適応すべきではないので注意が必要である．

A 領域別・術式別の縫合・結紮

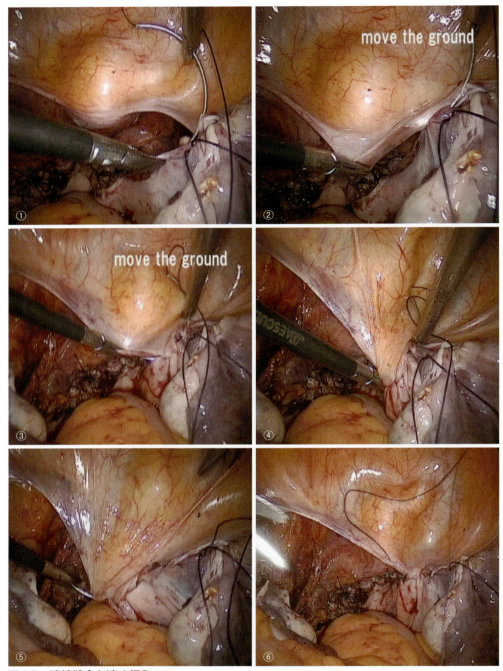

図90 連続縫合を速く行うコツ
①大型の針(ここでは1/2弯曲針48 mm)を用いる.
②,③縫われる対象である腹膜を針に載せるイメージ(move the ground). このときに針の角度を変えないよう固定しておくことが重要である.
④〜⑥約20 cmの連続縫合を一気に行うことが可能である.

① 通常通りsquare knotを形成する(このときに完全にknotを締めるのではなくやや緩めに作る).

3. 婦人科領域における縫合・結紮の実際

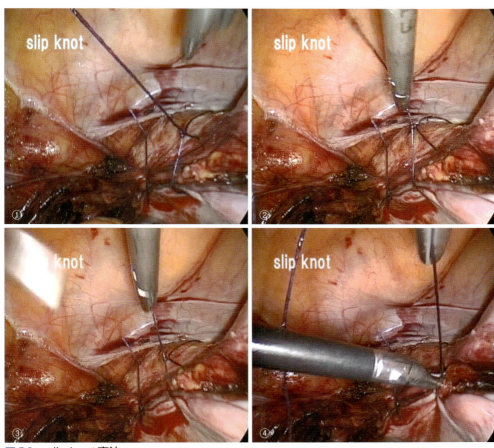

図91　slip knot変法
①square knotを作る．
②long tailを持針器で強く引き上げる．これでknotがunlockされるのと同時にknotがスリップし始める．
③そのままlong tailを牽引することでknotがスリップする．
④左手鉗子でknotを押さえることでknotが完成する．

②long tailを持針器で強く引き上げる．この操作でunlockするのと同時にknotをスリップさせる．そのため通常のslip knotと比較し，unlockさせる動作を省略できるため素早くslip knotを完成させることが可能である．ただしlong tailを持針器で強く引き上げる操作によりknotが強く引き上げられるため，組織がしっかりしていない場合，組織が切れ，挫滅してしまうのでこの方法は適応できない．

③，④long tailを引き上げ，knotをスリップさせる．最後に左手の補助鉗子でknotを押さえることでしっかりしたknotを形成する．

縫合・結紮による血管損傷修復：トレーニングとその実際

　婦人科悪性疾患である卵巣がん，子宮体がん，子宮頸がんにおいては，いずれの疾患においても骨盤内（〜傍大動脈）リンパ節郭清を施行する場合が多い．そのため婦人科医にとっては，血管損傷に対する縫合・結紮での修復技術を身につけることが極めて重要となる．ここではそのトレーニング方法と実際の手術における血管損傷の修復について解説する．

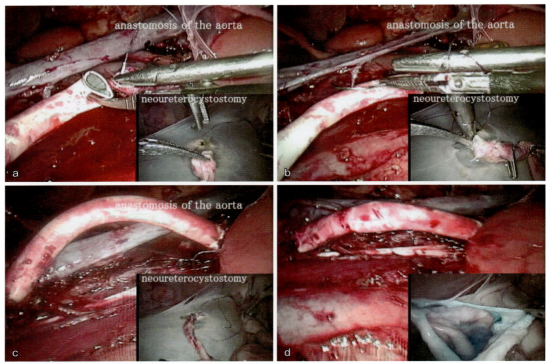

図92 動物モデルを用いた血管修復をイメージしたトレーニング
(メイン：後腹膜鏡下での血管グラフトを用いた大動脈置換，サブ：腹腔鏡下での膀胱尿管新吻合)
a, b：縫合・結紮の様子.
c：大動脈置換終了．縫合部からの漏れを認めていない．
d：膀胱尿管新吻合終了後，膀胱を切開し膀胱粘膜面から新尿管口の尿の通過・漏れを色素を用い確認した．

●幼若ブタを用いた血管損傷修復のトレーニング（図92）

　トレーニングボックスを用いたトレーニングと異なり，動物モデルを用いた縫合・結紮のトレーニングは縫合・結紮の質（縫合不全や狭窄など）を確認することができるため極めて重要である．

　ここでは血管損傷の修復モデルとして大動脈グラフト置換を紹介する．また比較的細い血管の修復モデルにも応用できる膀胱尿管新吻合のモデルも紹介する．

❶ 後腹膜鏡下での血管修復モデル

　まず後腹膜鏡下に傍大動脈リンパ節郭清術を施行し，大動脈を露出した後に，大動脈をクランプ後，切断し，同部位を人工血管を用い修復する．この場合，適切な縫合・結紮が行えていなければ縫合部からの出血を認めるため，縫合・結紮の質をただちに確認することが可能である．また，この操作は後腹膜鏡下に行われているため，トロッカー間の距離が極めて狭く，通常の腹腔鏡下の縫合・結紮とは違う環境下での操作となり，鉗子の動きを洗練するにも有用と考えられた．

❷ 腹腔鏡下での尿路再建モデル

　腹腔鏡下にextra vesicalに膀胱尿管新吻合を行うトレーニングである．腹腔鏡下での操作であり，鉗子間距離は十分でtriangular formationは問題ないが，縫合・結紮の対象が非常に弱い組織（尿管，膀胱）であるため，正確な運針・結紮ができなければすぐ組織が損

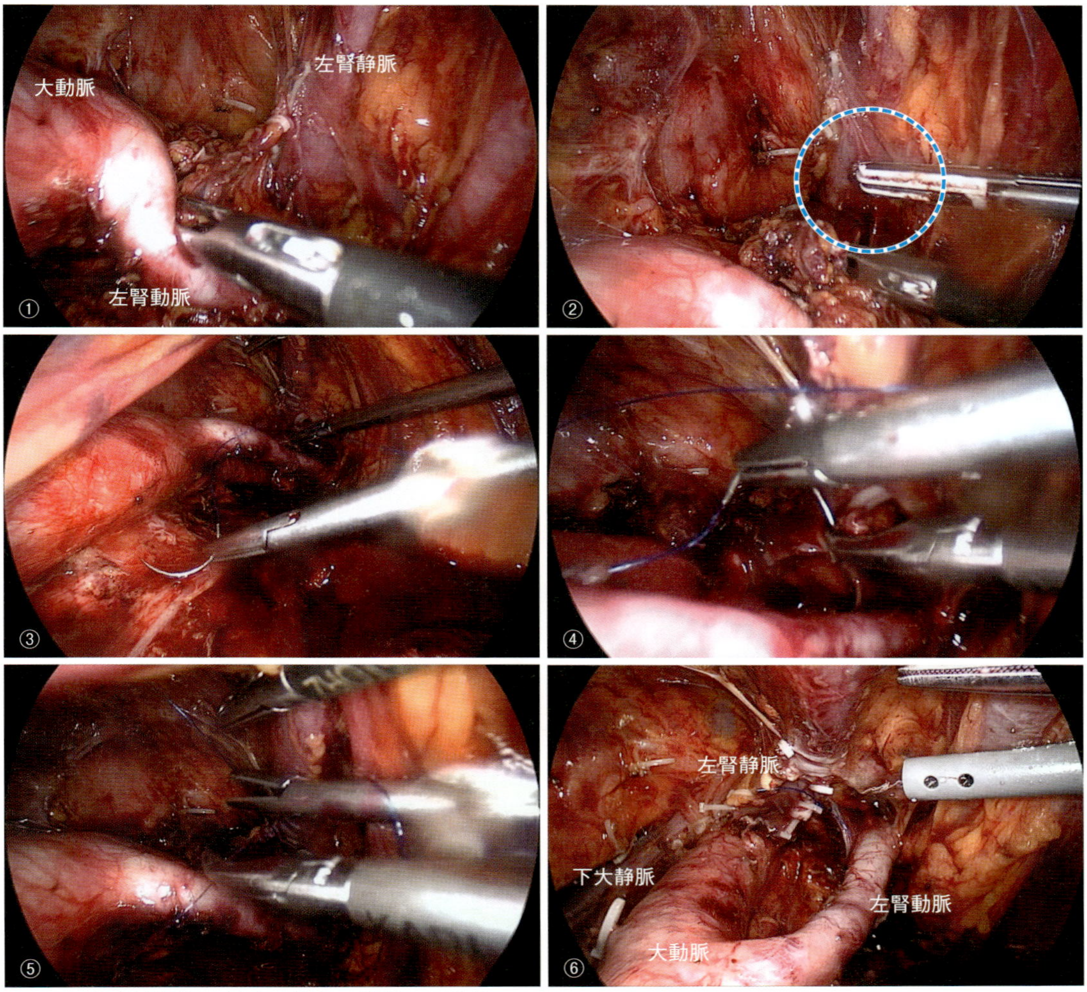

3. 婦人科領域における縫合・結紮の実際

図93　大血管損傷に対する縫合・結紮での修復
①後腹膜鏡下傍大動脈リンパ節郭清術施行中．
②左腎静脈損傷（○の部分）．
③左手鉗子で損傷部位を押さえながら片手で針の角度を調節．
④損傷部位にZ縫合を行う．
⑤結紮の様子．鉗子間距離が狭く，鉗子の動きは単孔式と同様の動きになる．
⑥止血完了．

傷する．そのため運針・結紮の正確性を高めるには非常に有効なトレーニングと考えられた．また色素を用いることで縫合部の狭窄や漏れの確認をただちに行うことが可能である．

　これらの動物モデルでの縫合・結紮トレーニングは縫合・結紮の質を確認することが可能であり，どこが悪かったかを次回のトレーニングにフィードバックできる点がトレーニングボックスと大きく異なる点である．

- 腎静脈損傷に対する縫合・結紮での修復の実際（▶動画82）

　図93で後腹膜鏡下傍大動脈リンパ節郭清術施行中に左腎静脈を損傷した症例を示す．

① 後腹膜鏡下傍大動脈リンパ節郭清術を施行する．このアプローチではトロッカーが患者左側に4本設置される．各トロッカー間距離は数cm程度であり，通常のトロッカー配置に比較し鉗子間距離が短いため，単孔式（parallel法）と同様の鉗子の動きとなる．

この動きは先述のトレーニングで習得可能である．
② 左腎静脈の5 mm 程度の損傷．
③ 出血点を左手鉗子で押さえながら後腹膜腔に挿入した針（4-0 PDS；ジョンソン・エンド・ジョンソン社）の角度を右手の持針器のみで調節し，針を持つ．このように大血管の修復における縫合・結紮ではしばしば片手での操作が必要となる．トレーニングボックスを用いた基本練習の中で片手での針の角度の調節，針の把持などの習得は必須である．
④ 出血点を左手鉗子で押さえながら損傷部位にZ縫合を行う．この場合，鉗子間距離が短く，鉗子はほぼ重なった状態になるため，持針器の回転を強く意識しなければ鉗子の干渉のため正しく針を掛けることができない．
⑤ 結紮も鉗子がほぼ重なる状態で行う必要があり，ワーキングスペースが極めて狭いため前述のP-loop法（☞ Chapter Ⅱ-E-3-a-③参照）での結紮が極めて有用と考えられる．
⑥ 止血完了．

4. 呼吸器外科領域における体外結紮法

direct knot(DK)フォーセプスを用いた体外結紮法

呼吸器外科領域の体外結紮で使用する器具はノットプッシャーと溝付ケリー鉗子［成毛式DKフォーセプス（ケンツメディコ社）など］である．現在では心臓外科・一部の消化器外科領域でも低侵襲手術の場面で使用されている．ケリー鉗子の先端に溝をつけた器具であるが，先端の形状（溝や結節および弯曲の程度など）は術者の好みに合わせていくつかの種類が使用されている．故・成毛韶夫先生（元・国立がんセンター中央病院副院長）が考案された鉗子が原型となっている．私が愛用する形は，ケリー鉗子の曲がりを少なくし，先端に小さなピーナッツの形をした小結節をつけたタイプの鉗子である．

実際の手技（▶ 動画83）

体外結紮法は90 cm程度の長い糸を用いて結紮を体外で行い，knotを胸腔内に送り込む方法である．胸腔内に送り込む器具はノットプッシャー（O字型，U字型，V字型）とDKフォーセプスが呼吸器外科手術では日常的に好んで用いられているが，食道外科，心臓外科手術においても胸腔内結紮が困難な術野などで有効である．先端の形状から気腹下腹腔鏡下手術の体外結紮はトロッカーの減圧防止弁によって縫合部に張力が掛かりやすく，やや不向きである点は否めない．しかしながら，繊細な動きが可能であり習得しておくべき手技である．
① 血管を剥離した後，血管周囲に通した糸を同じトロッカーから胸腔外に引き出し，体外で1回軽く結紮（half knot）を作り，鉗子（右手で把持）で送り込んでいく．このとき糸で二等辺三角形を作り（図94a），DKフォーセプスの溝の側面を一辺に押しつけるように胸腔内に送り込んでいく．
② 押し込むときには鉗子を閉じた状態よりもわずかに開いて片側だけで押し切る方が安定した動きが作れる（図94b）．half knotの結紮の最終段階では鉗子をさらに広げて血

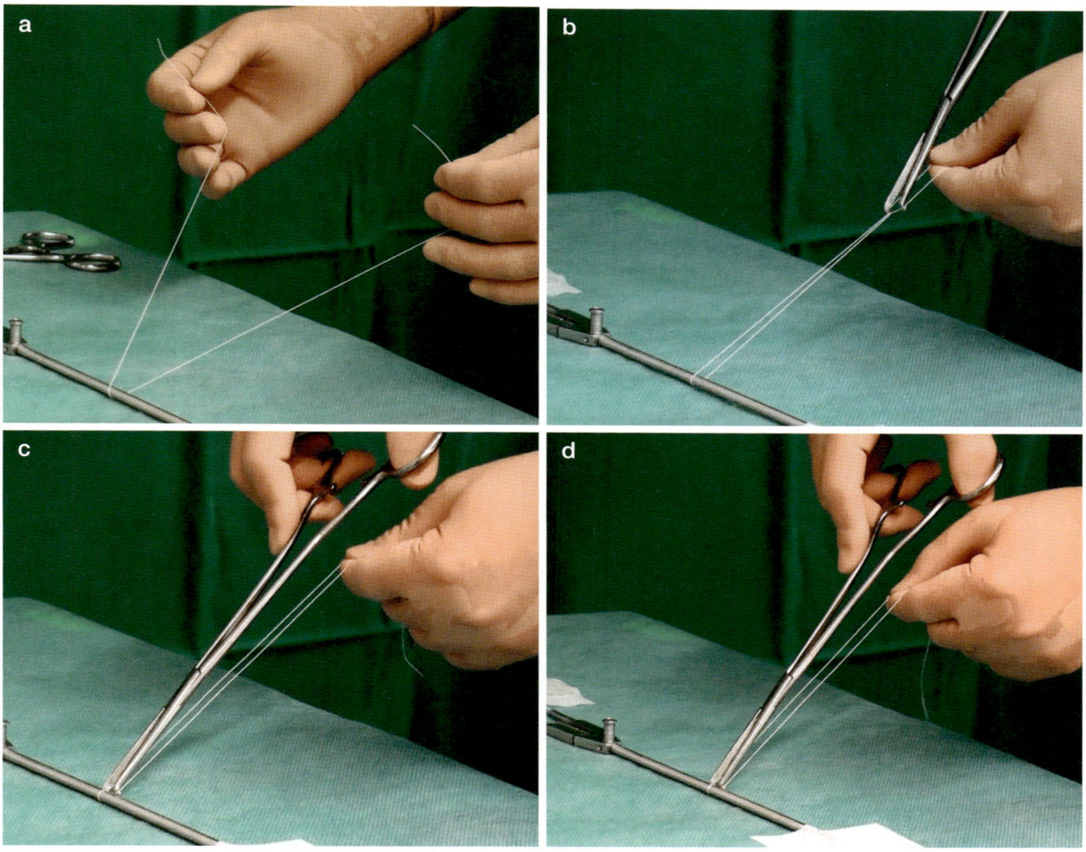

4. 呼吸器外科領域における体外結紮法

図94 DKフォーセプスを用いた体外結紮法
a：左手元のhalf knotの状態，b：DKフォーセプス右側溝をかけている様子，c：第一結紮最終段階，d：第二結紮最終段階

　　管を180°，一直線の糸状態できつく締める(図94c)．
③ 第二結紮は体外で2回のknotを作り，同様に胸腔内に送り込み第二結紮を終了する(図94d)．以降の結紮は同様に操作し形成する．
　　DKフォーセプスにあまり強く依存すると糸が断裂することがあり，愛護的に糸を操作することが重要である．

文献

1) 日本消化器病学会：消化性潰瘍診療ガイドライン2020，第3版，南江堂，p174-179，2020
2) 小村伸朗ほか：GERDに対する腹腔鏡下手術．消外 36：560-570，2013
3) 小澤壮治ほか：胃食道逆流症に対する腹腔鏡下手術．消外 27：693-700，2004
4) Broeders JA, et al：Systematic review and meta-analysis of laparoscopic Nissen(posterior total)versus Toupet(posterior partial) fundoplication for gastro-oesophageal reflux disease. Br J Surg 97：1318-1330, 2010
5) Shan CX, et al：Evidence-based appraisal in laparoscopic Nissen and Toupet fundoplication for gastroesophageal reflux disease. World J Gastroenterol 16：3063-3071, 2010
6) Hosogi H, et al：Intracorporeal anastomosis in laparoscopic gastric cancer surgery. J Gastric Cancer 12：133-139, 2012
7) So KO, et al：Totally laparoscopic total gastrectomy using hand-sewn esophagojejunostomy. J Gastric Cancer 11：206-211, 2011
8) 稲嶺 進ほか：針糸による手縫い食道空腸吻合を用いた完全腹腔鏡下ルーワイ再建．臨外 68：986-994，2013
9) Inaba K, et al：Overlap method：novel intracorporeal esophagojejunostomy after laparoscopic total gastrectomy. J Am Coll Surg 211：e25-29, 2010
10) Nagai E, et al：Feasibility and safety of intracorporeal esophagojejunostomy after laparoscopic total gastrectomy：inverted T-shaped anastomosis using linear staplers. Surgery 153：732-738, 2013
11) 寺島雅典ほか：Classical LECS腹腔鏡のポイント．イラストと写真で見る内視鏡医と外科医のコラボレーション手術，腹腔鏡・内視鏡合同手術研究会(編)，p14-21，メジカルビュー社，2015
12) Miyagaki H, et al：Recent trend of internal hernia occurrence after gastrectomy for gastric cancer. World J Surg 36：851-857, 2012
13) Higa KD, et al：Internal hernias after laparoscopic Roux-en-Y gastric bypass：incidence, treatment and prevention. Obes Surg 13：350-354, 2002
14) Carmody B, et al：Internal hernia after laparoscopic Roux-en-Y gastric bypass. Surg Obes Relat Dis 1：543-548, 2005
15) Kojima K, et al：Petersen's hernia after laparoscopic distal gastrectomy with Roux-en-Y reconstruction for gastric cancer. Gastric Cancer 17：146-151, 2014
16) Cuschiere A, Szabo Z：Tissue Approximation in Endoscopic Surgery. Isis Medical Media, Oxford OXI IST, p26-27, 1995
17) 松田 年ほか：総胆管結石症に対する腹壁吊り上げ法を用いた総胆管切開，1期的縫合術．手術 51：971-978，1997
18) Naitoh T, et al：Early experience of robotic surgery for type I congenital dilatation of the bile duct. J Robotic Surg 9：143-148, 2015
19) Belyansky I, et al：A novel approach using the enhanced-view totally extraperitoneal(eTEP) technique for laparoscopic retromuscular hernia repair. Surg Endosc 32：1525-1532, 2018
20) Novitsky YW, et al：Transversus abdominis muscle release：a novel approach to posterior component separation during complex abdominal wall reconstruction. Am J Surg 204：709-716, 2012

B 応用：特殊な状況における縫合・結紮

1. ワーキングスペースが狭い状況での縫合・結紮

　制限のある術野における運針や糸結びを行う際，それぞれの制限に応じた工夫が必要となる．単孔式内視鏡手術のほか経肛門的内視鏡手術（transanal endoscopic microsurgery：TEM）や胃内手術のようなendoluminal surgeryにおいては，術者が操作する左右のポート間に距離がとれないためマニピュレーションアングルが小さくなるという制限が生じる．それほどではなくても，骨盤腔内や食道裂孔部付近など，主たるポートから標的までの距離が大きな場合では類似の状況となる．本項では，このような制限下での糸結びを行う際，筆者が留意している点を紹介する（図1〜3： ▶動画84〜86）．

　2本の鉗子が平行に近い状態にあるとき，先端が細く弯曲している鉗子は利用価値が高い．鉗子先端の弯曲を利用してもう一方の持針器シャフト間に角度をつけるべきである．もう一つのコツは糸を把持する際に持針器軸に対して直角程度の角度をつけることである．

　この状況下でのdouble half knotは特に難易度が高いが，確実に習得しておきたい技術である．double half knotの2回目巻きつけの際，ループの抜けが発生しやすいが，糸を把持していない鉗子先端と，もう一方の持針器を擦り合わせながら，注意深く糸を巻きつける操作が必要となる．

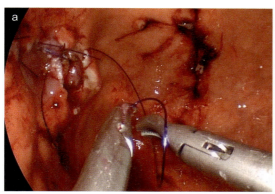
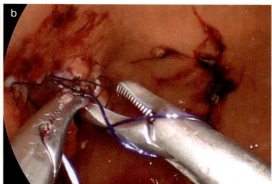
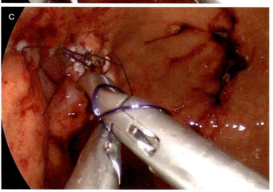

図1　マニピュレーションアングルが狭小な状況下での糸結び①：胃内手術（ ▶動画84）

a：左手鉗子で縫合糸を把持し右手鉗子を持針器の弯曲を利用してループに通すパターン．double half knotを開始する．右手持針器先端部をループに通す際，左手持針器の凹に右手持針器の先端を擦るように意識する．
b：second half knotは難易度が高い．thumbs upにより右手持針器のjawを縫合糸に引っ掛ける要領でループをくぐらせる．
c：ループを通り抜ける際には，jawを閉じたり，回転させる必要がある．

B 応用：特殊な状況における縫合・結紮

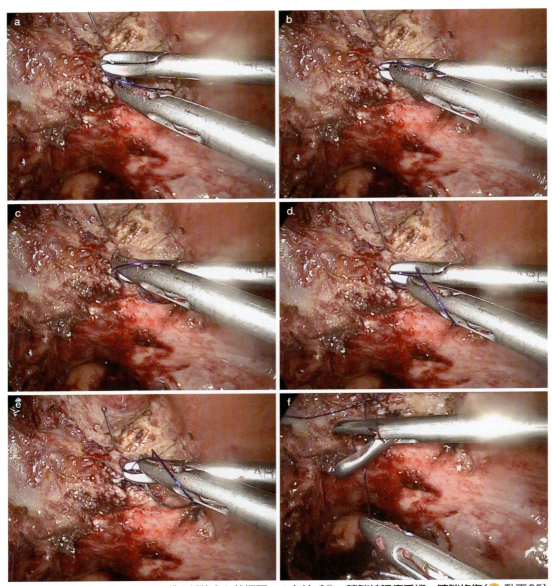

図2　マニピュレーションアングルが狭小な状況下での糸結び②：膀胱結腸瘻手術・膀胱修復（▶動画85）
a：右手持針器で縫合糸を把持し，左手鉗子の彎曲した先端をループに通すパターン．double half knotを開始する．
b：左手鉗子先端部をループに通す際，右手持針器の凹に左手鉗子の先端を擦るように意識する．
c：first half knotのルーピングが完了．動作を小さくしてループの抜けを予防しながら次のhalf knotに向かう．
d：second half knotを開始する．1回目より難易度が高い．
e：second half knotのルーピングが完了した．ループの抜けが発生しやすいので，動作を小さくし，右手持針器を連動させながらshort tailを把持する．
f：別の部位での糸結び．左手鉗子で縫合糸を把持し右手持針器のthumbs upを利用してループを通すパターン．double half knotを開始する．右手持針器jawを開き，開いた方のjawで糸を引っ掛け奥から手前に倒しながら意図的にループを形成する．
（次ページに続く）

　　糸を把持していない方の鉗子先端を開き，その先端ともう一方の持針器軸に対し角度をつける方法も有用である．内田[1]はこの手法をthumbs up法と呼称した．しかし，thumbs up法ではいったん開いた鉗子先端がそのままではループに絡むため，最終的に再び閉じるか，回転させてループをくぐらせる必要がある．

1. ワーキングスペースが狭い状況での縫合・結紮

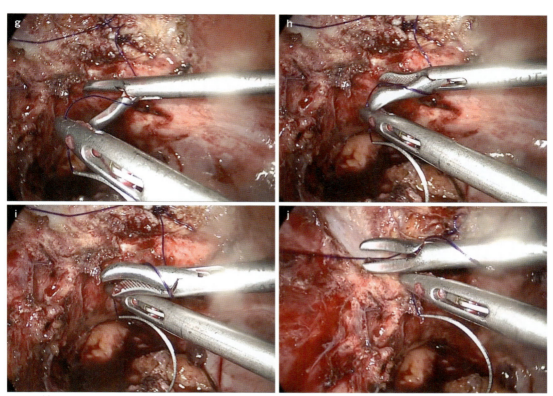

図2の続き
g：ループを形成した状態．右手持針器の開いたjawを左手鉗子に擦るように接触させ，形成したループの中をくぐらせる．
h, i：開いていた右手持針器のjawを閉じ，回転させながら，右手持針器先端部全体がループをくぐるように動かす．
j：最後に右手持針器でshort tailを把持する．

B 応用：特殊な状況における縫合・結紮

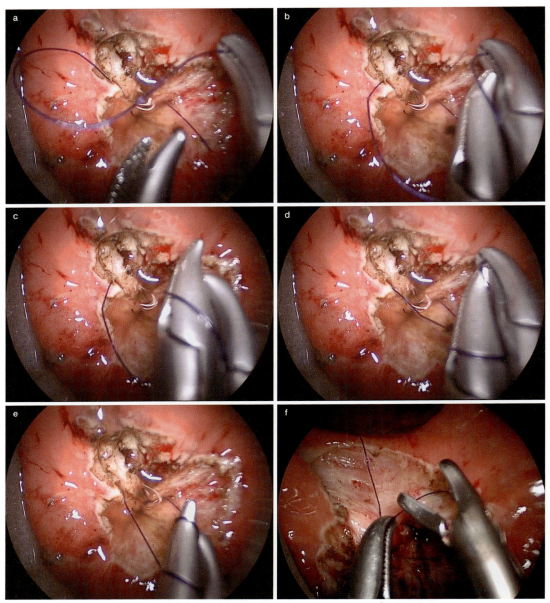

図3　マニピュレーションアングルが狭小な状況下での糸結び③：TEM（▶動画86）

a：右手持針器で縫合糸を把持し，左手鉗子の弯曲した先端をループに通すパターン．double half knotを開始する．右手持針器で縫合糸を直角に把持して構える．
b：左手鉗子先端を右手持針器先端凹部に擦るようにループを通過させる．
c：ループをくぐらせたら，ループを少したくし上げsecond half knotに備える．
d：second half knotは繊細な鉗子の協調操作が要求される．やはり左手鉗子の先端の弯曲を利用して右手持針器の凹部を擦るように小さなループを通過させる．
e：2つのループが抜けないように右手持針器も連動させながら，左手鉗子でshort tailを把持・牽引する．
f：左手鉗子で縫合糸を把持し，右手持針器の先端を開き，thumbs upを利用してループに通すパターン．

（次ページに続く）

2. トラブルシューティング（止血縫合など）

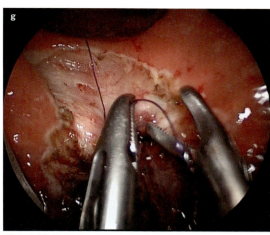
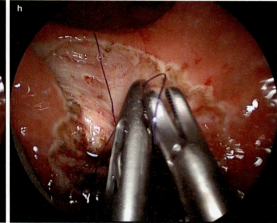
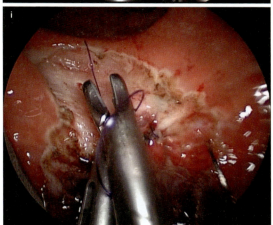

図3の続き
g：左手持針器の開いたjawを利用して縫合糸を引っ掛けループを形成する．
h：形成したループの中に右手持針器の一方のjawを滑り込ませる．
i：開いたjawを少し閉じて，持針器先端全体でループを通過させる．

2. トラブルシューティング（止血縫合など）

a. 消化管手術

　内視鏡下縫合・結紮手技の効力を最大限に発揮できる究極の場面の1つとして，止血縫合操作が挙げられる．本項では内視鏡下止血縫合に必要とされる手技，安全かつ確実に行うためのコツを解説する．内視鏡下止血縫合操作は決して簡単な手技ではなく，無難に行うためには内視鏡手術に関するそれなりの経験値が必要である．万が一，不成功に終わった場合は，状況をさらに悪化させてしまう可能性もはらんでいる．日頃からそのような緊急場面を想定して，知識・技術の向上を目指しておく準備も重要である．

内視鏡下止血操作の基本

　噴出性（動脈性）出血の場合，出血点は比較的認識しやすいので，出血ポイントを鉗子で把持するか，ガーゼで圧迫して一次止血を得る．湧出性（静脈性）出血の場合，正確な出血点はすぐには認識できない場合が多いので，まずはガーゼを用いて一次止血を行う（図

B 応用：特殊な状況における縫合・結紮

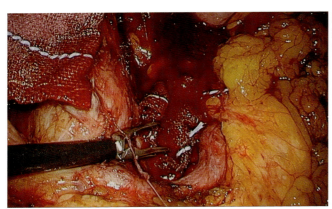

図4　ガーゼによる一次止血
腹腔鏡下No.11pリンパ節郭清終了後に湧出性の出血を認めた．脾動脈中枢側ループの内側をガーゼにより圧迫し，一次止血を行っている．

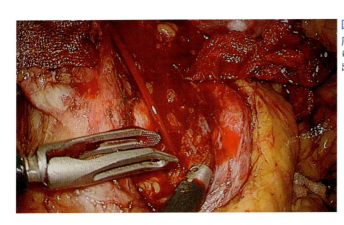

図5　出血点の確認
周囲をクリーニングして術野展開を行った後，ゆっくりとガーゼを除去し脾静脈前面からの出血点を確認している．

4)．一次止血が得られたら，助手と協力して周囲の血液を吸引管やガーゼで除去し，術野を整える．一次止血＋クリーニングが完了したら，バイタルサインの確認後に，出血点の同定作業に移る．状況によっては解剖を明らかにするために，助手と協力しながら周囲組織の剝離操作を慎重に行う．ガーゼで一次止血している場合は，助手との協力で確実な術野展開を行った後，ゆっくりとガーゼを除去し，吸引管を用いながら出血点を確認する（図5）．この時点で出血点がピンポイントで同定できれば，鉗子把持による止血に移行できる．出血がコントロールできたら，止血方法を選択する．止血方法には縫合止血法以外にも，ソフトモードやバイポーラを含めた電気凝固法，クリップ法，結紮ループ法，組織接着シート法などがある[2]．それぞれの特徴や長所を理解して，状況に応じたベストの方法を選択すべきである．動脈分枝からの出血でその長さが短い場合，主要な動静脈の血管壁損傷による出血の場合に，縫合止血法は有用となる．いずれの止血操作を行うにせよ，術野をしっかりとクリーニングしてきれいに展開した状態で行うのが原則である．

縫合手技の実際

まずはポート配置を再確認し，持針器を挿入すべきポート，術者の立ち位置など，止血操作に最適なセットアップを考える．出血点を正確に止血縫合するには，確実に出血点を把持して止血された状態を保っておく．術者左手で把持するのであれば，左手鉗子がブレない技量，また右手の持針器のみで針の方向を変えて適切に把持する技量が必要となる（図

2. トラブルシューティング（止血縫合など）

図6　出血点の止血縫合
術者左手鉗子で出血点を把持したまま，右手持針器片手で針を適切に把持し止血縫合を行っている．

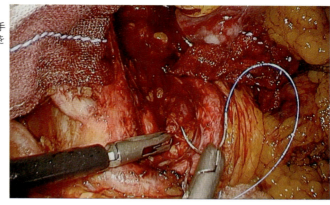

図7　糸結びにおけるshort tailの把持
助手がshort tailを把持し緩く牽引することにより，short tailを血液中に見失うことを防止する．

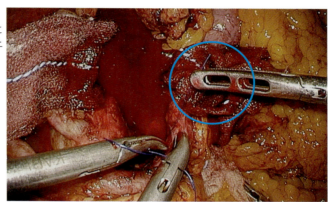

6)．片手操作で針を持針器に適切に把持する技術は，日頃からトレーニングボックスなどでトレーニングしておく．基本的には針の中心あたりを軽く把持し，針先を組織に少しあてがい，持針器を微妙に動かしながら角度を調整する．経験豊富な助手がいる場合は，助手に出血点を把持してもらえば，術者は両手を用いて縫合止血操作が行える．また，状況によっては着脱型血管クリップを用いて主要血管を一時的にクランプすることにより，安全に縫合・結紮を行うことができる状況もあるので，いざというときのために準備しておきたい．止血操作はZ縫合とする場合が多い．針の把持角度と，運針によって予想される刺入点・刺出点を十分にシミュレーション確認してから，実際に運針を行うことが重要である．

結紮手技の実際

筆者は血管そのものに運針するのであればモノフィラメント非吸収糸を用いており，多くの場合で4-0，5-0径と細めの糸を使用している．糸の長さに関しては，結節縫合であるが，確実性を重視し通常の12 cmより余裕をもって，やや長めの14 cmとしている．最初の糸結びは緩みが生じないように，double half knotを用いる．糸結びの際，強い牽引で糸が切れたり，組織が裂けたりしないように，普段以上に慎重かつ精密な操作が要求される．筆者はこのような状況での結紮の際，short tailは助手に持たせて少しだけ腹側に挙上してもらうようにしている（図7）．これによりshort tailを血液の中で見失うこともなく，

B 応用：特殊な状況における縫合・結紮

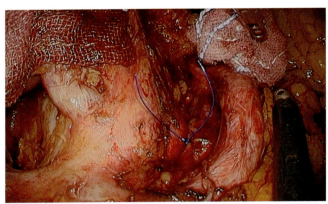

図8 止血縫合完了
清拭・洗浄を行い最終的な止血を確認する．

またshort tailが牽引されていることで縫合部位からの出血が制御されるので，落ち着いて糸結びを行うことができる．最後に清拭・洗浄を行い，止血を最終確認する（図8）．

近年はロボット支援手術も各領域で広く行われるようになった．ロボット支援手術では触覚が欠如しているため，適度な牽引が糸に掛かっているかどうかは経験に基づく視覚で判断する必要がある．

- 胃がんNo.11pリンパ節郭清時の脾静脈からの出血（▶動画87）

まずはガーゼ圧迫による一次止血を行っている．ガーゼを除去しながら脾静脈前面からの出血点を確認し，左手鉗子で把持，その後4-0モノフィラメント非吸収糸を用いたZ縫合によって止血縫合を行った．

- 胃がんNo.6リンパ節郭清時のHenle係蹄からの出血（▶動画88）

右胃大網静脈を電気メスで損傷し出血をきたしている．静脈壁損傷部は徐々に拡大し次第に大きな出血となっている．末梢側はベッセルシーラーで凝固止血したが，中枢側は静脈分岐部で損傷部が大きいため止血縫合の方針とした．無傷性把持鉗子で損傷された静脈を含む腸間膜を把持止血し，そのまま膵頭前面の郭清操作を行い，周囲解剖を明らかにした．その後4-0モノフィラメント非吸収糸を用いたZ縫合によって止血縫合を行った．

b. 肝胆膵手術

他領域の腹腔鏡下手術と比較して，肝胆膵手術の特徴は，大血管の周囲の操作が多く，大出血のリスクを伴っていることであろう．肝切除における肝静脈や下大静脈周囲の操作，膵切除における門脈や腹腔動脈，上腸間膜動脈周囲の操作などで出血すると，血液によって短時間で術野が確保できなくなる可能性がある．患者の生命を脅かすような出血を防ぐために重要なのは，
①術前画像検査から大出血の危険部位を予測しておく
②危険部位の操作の前に血管中枢側の確保をしておく
③対処法を手術スタッフと共有し，止血器具の準備をしておく
④開腹移行（もしくは用手補助下移行）の手順を確認しておく
ことである．

止血操作において腹腔鏡下手術の利点は気腹圧による出血抑制効果，欠点は触覚の欠如や動作制限である（大血管が対象の場合にはmove the groundが使えないため，さらに動作制限が厳しくなる）．気腹圧によって肝静脈など静脈系の出血は抑制される．この利点を生かしつつ欠点を補う方法として用手補助腹腔鏡下手術（hand-assisted laparoscopic surgery：HALS）があるため，開腹移行のオプションとして検討していただきたい．血管の中枢側の確保は，肝十二指腸間膜確保（プリングル法），肝静脈，下大静脈，処理する動脈の中枢側のテーピングを行うが，肝静脈や下大静脈についてはサイドクランプできる準備だけでもよい．動脈系の出血リスクが非常に高いと予測される場合には，ハイブリッド手術室で中枢側にバルーンカテーテルを留置しておくと安心感がある．

止血の方法

　湧出性出血であればガーゼ圧迫が基本である．出血点が明らかな場合には鉗子により出血点を把持して一次止血を行い，クリップもしくは縫合により根本的な止血を行う．出血点の把持に着脱式血管鉗子を使用すると術者の両手が使用できるようになる．肝胆膵領域の腹腔鏡下手術では，縫合止血のために吸収性クリップの1つであるラプラタイ（ジョンソン・エンド・ジョンソン社）を準備しておくことが一般的となっている．ラプラタイは他のクリップとは異なり，それ自体が直接結紮に使用されるのではなく，縫合糸の両端に装着することで結紮を省略可能とするものである．ラプラタイによる閉鎖法は短時間に容易に気密性のある閉鎖が可能であることが最大のメリットである．肝切除などでは，ラプラタイを装着した縫合糸を用意しておくと，下大静脈などの大血管の損傷部を一針掛けて挙上するだけで出血のコントロールが可能である．

　ラプラタイを用いた縫合止血の一例を図9に示す（▶動画89）．肝冠状間膜切離時に最も損傷しやすい肝静脈の右端からの出血例である（図9a）．危険な場所と認識していたので，比較的小規模な損傷ですみ，短時間で鉗子による出血点の把持ができている（図9b）．腹腔鏡下肝切除では左手に吸引鉗子を持って展開するが，このような出血の際の視野確保にも有用である．気腹圧が低下するほど吸引すると静脈性出血を助長するので注意は必要である．大きな損傷をきたして鉗子による把持止血が困難な際には，用手補助下に移行し，用手的に圧迫止血して時間を稼ぎ，助手に開腹してもらうなどの手順も想定しておく必要がある．

　次に，出血点の把持を着脱式血管鉗子に切り替えて術者の両手が使える状態にし，周囲を剝離して出血点の状況を明らかにするとともに周囲の組織の巻き込みを防止している（図9c）．静脈圧が高く出血のコントロールが困難な場合には一針掛けてから着脱式血管鉗子を外すが，この症例では先に鉗子を外して損傷部を確認しながら縫合している（図9d）．ラプラタイを用いた場合，縫合糸は結紮の必要がなく，挙上するだけで止血が得られる（図9e）．Z縫合した後に対側にもラプラタイを装着して止血操作が完了する（図9f）．

　ラプラタイを用いた縫合止血は取り込む組織量が多いため，場合によっては対象脈管が狭窄することがある．別症例を図10に示す．下大静脈の背側に位置する後腹膜腫瘍の症例であるが，エネルギーデバイスでシーリングした左腎静脈の枝の断端が，手術の途中ではじけて噴出性の出血をきたした（図10a）．着脱式血管鉗子で出血点を把持して止血し，腫瘍の切除を完了して広い術野を確保した．ラプラタイを用いて縫合止血したが，左腎静脈が狭窄した（図10b）．左腎静脈を広く剝離して，出血点の中枢側および末梢側でそれ

B　応用：特殊な状況における縫合・結紮

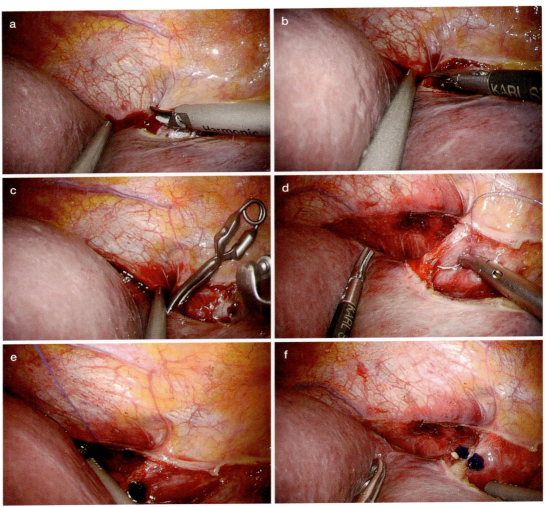

図9　ラプラタイを用いた肝静脈根部損傷に対する縫合止血
a：肝静脈の右端を損傷して出血．
b：鉗子による出血点の把持．
c：止血点の把持を着脱式血管鉗子に切り替えた．
d：損傷部の縫合．
e：縫合糸は結紮の必要がなく，挙上するだけで止血が得られる．
f：Z縫合した後に対側にもラプラタイを装着して止血操作が完了．

ぞれ着脱式血管鉗子を用いて遮断して，ラプラタイの縫合糸を外して損傷部を確認した（図10c）．落ち着いて細かくていねいに縫合することで狭窄は解除された（図10d）．

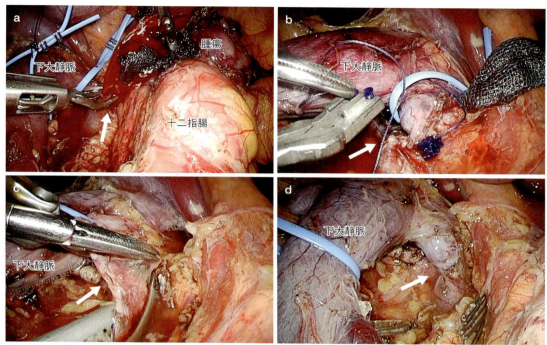

図10 ラプラタイを用いた左腎静脈損傷に対する縫合止血

a：左腎静脈から出血を認め，着脱式血管鉗子を用いて一時止血を行った．
b：ラプラタイを装着した縫合糸で止血したが，左腎静脈の狭窄をきたした．
c：左腎静脈を広く剥離して，出血点の中枢側および末梢側でそれぞれ着脱式血管鉗子を用いて遮断し，出血点を確認した．
d：出血点を 5-0prolene を用いて縫合し，屈曲や狭窄をきたしていないことを確認した．
矢印：左腎静脈の出血点

c. 泌尿器科手術

　泌尿器科手術において縫合・結紮技術は前立腺全摘除術での膀胱尿道吻合，腎部分切除術での切除面の修復，膀胱全摘後の尿路変向，腎盂形成術などで必須である．これらの手術は縫合・結紮を伴う複雑な手術であるので上級者向きの腹腔鏡下手術と考えられてきた．ロボット支援手術の普及により縫合・結紮の技術的なハードルは低くなったが，これらの手術ではしっかりとした縫合・結紮技術が要求される．一方，腎摘除術や副腎摘除術では基本的には縫合・結紮操作を必要とせず，これらの手術は基本的な腹腔鏡下手術と考えられている．しかしながら基本的な腹腔鏡下手術中にトラブルが発生すると，縫合・結紮が必要となる場合がある．したがって，基本的な腹腔鏡下手術を行う場合でも縫合・結紮技術を身につけている必要がある．本項では，泌尿器科手術において縫合・結紮を必要とするトラブルシューティングについて概説する．

腹膜損傷

　後腹膜アプローチの腹腔鏡下手術において腹膜を損傷すると，後腹膜腔内の二酸化炭素が腹腔内に入り，腹膜が後腹膜側に押され後腹膜腔が狭小化し，手術の妨げになる．

B 応用：特殊な状況における縫合・結紮

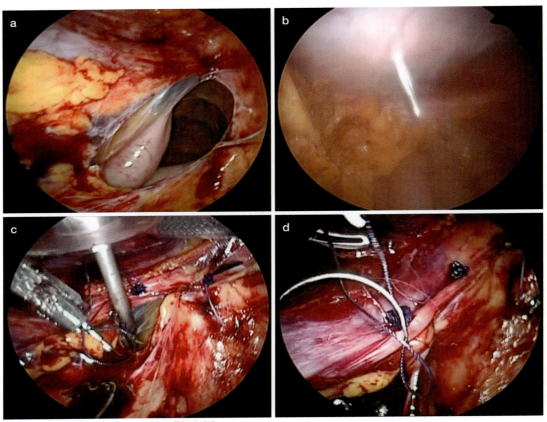

図11　後腹膜アプローチでの腹膜損傷例
a：後腹膜にアプローチするときに腹膜損傷をきたした．
b：後腹膜腔拡張，トロッカー留置後，スコープを腹膜損傷部位から腹腔内に挿入し，腹壁から腹腔内に脱気用の留置針を挿入した．
c：腹膜の縫合．角度が非常に難しい．結紮は困難なのでラプラタイを使用している．
d：縫合完了．

腹膜損傷をきたした場合，以下の対処法が挙げられる[1]．
①腹膜を鉗子で圧排する．この際，必要に応じてポートを追加する．
②腹膜損傷部を大きく広げ，経腹膜アプローチの如く手術を行う．
③腹膜損傷部位を縫合する．
　今回は③について細かく説明する．
　まず，腹膜損傷部位からスコープを腹腔内に挿入し，腹腔内を観察する．腹壁から腹腔内に脱気用の太い点滴用カテーテルなどを留置する．最後に腹膜を縫合する．腹膜損傷部位によっては腹膜縫合が難しいケースもある．腹膜が裂けないように大きめのバイトをすることが必要である（図11：▶動画90）．
　経腹膜アプローチでも特に左腎の手術で剝離した後腹膜（腸間膜）を損傷することがある．内ヘルニアのリスクになるので必ず縫合するようにしている（図12）．

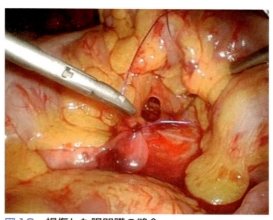

図12　損傷した腸間膜の縫合

横隔膜損傷

　横隔膜損傷を避けるためには横隔膜上でモノポーラを使用しない．横隔膜損傷をきたすと二酸化炭素が胸腔内に流入する．腎・副腎腹腔鏡下手術中の横隔膜損傷で肺を同時に損傷することはまれであるので，単純に縫合すればよい．麻酔科医に陽圧をかけてもらい，肺を膨らませた状態で結紮すると，胸腔内に残存する二酸化炭素量を減らすことができる．胸腔ドレーンを必要とするケースはまれである．

腸管損傷

　腸管損傷をきたした場合，消化器外科医のコンサルトが必要である．縫合または腸管切除を選択する．特に右腎臓手術での十二指腸損傷は重篤な結果を招くので，十二指腸に対して愛護的な操作が必要である．軽微な熱損傷は術中問題なくみえても，後に損傷が顕在化する可能性があるので，疑わしきは積極的に消化器外科医にコンサルトして，適切な縫合を追加する．

血管損傷

　腎・副腎血管は大血管に流入する．したがって腎・副腎の手術では大血管損傷のリスクがある．骨盤内の手術においてもリンパ節郭清で大血管損傷のリスクがある．したがって，これらの手術を行う医師は大血管損傷対応ができることが望まれる[4,5]．

　大血管損傷は即時の対応が重要である．出血した瞬間に損傷血管を直接把持できることが理想的であるが，把持できない場合，ガーゼ圧迫などで止血し術野をクリアにする．その後，必要があれば周囲を剝離し，直接把持か血管遮断をし，縫合・再建を試みる．鏡視下で止血困難な場合は開腹手術へ移行するが，開腹手術に移行した場合，出血量が増加する．

　縫合は片手でも運針可能であるが，結紮には両手が必要である．したがって，縫合前に術者の両手が自由であることが理想的である．そのためには血管遮断鉗子を使用するか，必要ならポートを追加し，吸引，出血部位の把持圧迫操作を助手に任せることが必要である．

B　応用：特殊な状況における縫合・結紮

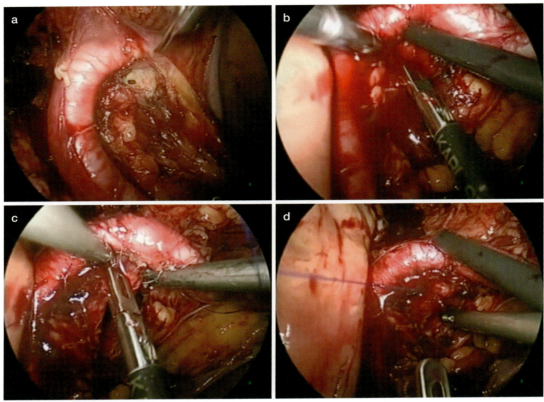

図13　右外腸骨動脈損傷例
a：右外腸骨静脈がほとんど剝離されていない状態で損傷した．
b：出血点を把持できた．
c：助手に出血点を把持してもらい，術者は両手で運針している．
d：縫合完了．

　術者の片手が出血部位を把持していて放すことができない場合，片手での運針が必要になり，片手で針を正しく持ち直す技術が必要である．10 cm程度の針糸の終わりをラプラタイ（ジョンソン・エンド・ジョンソン社）などで固定しておくと，片手で運針した糸をコントロールしやすく，出血の多い視野での結紮操作を省略できる．はじめの運針で出血がコントロールされれば残りの縫合は比較的安全に施行可能である．図13および▶動画91は郭清時の右外腸骨静脈損傷である．外腸骨静脈がほとんど見えていない状態で損傷し，出血点を術者が何とか把持した後に，把持している鉗子と吸引管を助手に任せ，術者は両手で血管損傷部位を縫合している．

d. 婦人科手術

　婦人科領域における体腔内縫合は，腹腔鏡下子宮全摘術における子宮傍組織の集簇結紮および腟断端縫合，そして腹腔鏡下子宮筋腫核出術における筋腫核出後の子宮筋層縫合が一般的である．特殊な状況または婦人科特有の縫合・結紮という観点から，いくつか紹介する．

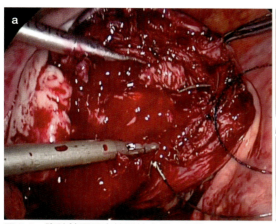 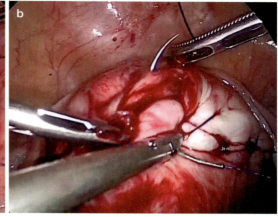

図14　腹腔鏡下子宮筋腫核出術の実際
a：子宮筋腫核出後の子宮筋層連続縫合．出血している中での迅速な運針が要求される．欠損が深い場合は，子宮筋層の底部を適宜確認しながら縫合する．
b：子宮漿膜連続縫合．完全に縫合が終了するまで止血しないこともあるので，針の把持，結紮も迅速に行う．

腹腔鏡下子宮筋腫核出術

　子宮のような硬い実質組織に対する体腔内縫合は，婦人科特有と考えられる．子宮筋腫核出後の子宮筋層は凝固止血が困難で，縫合するまで止血しえない．出血の中で縫合しなくてはならないことも多く，迅速で確実な体腔内縫合が要求される．深い子宮筋層を縫合するのはなかなか容易ではなく，日本産科婦人科内視鏡学会の腹腔鏡技術認定医資格を有していても，この術式を不得手とする術者も多い．他診療科ではあまりみない体腔内縫合と考えられるため，以下に紹介する．

　筋腫核出後はたいてい出血しているため，出血の中で子宮筋層の深さを見極め，死腔を作らないように縫合しなくてはならない．子宮筋層縫合は，欠損が深い場合2層または3層以上で縫合し，欠損が埋まったことを確認してから漿膜縫合に移る．死腔を作らないように深く埋没縫合するためには，組織に対して針が垂直になるように刺入し，子宮筋層に針が貫通していく感触を確かめながら運針する．術者の体腔内縫合の技量が問われる術式である．動画では，術者が患者の左側に立つpara-axialセットアップで行っている．子宮筋層はbarbed suture糸で連続縫合し，漿膜は#2-0 PDS Ⅱ（ジョンソン・エンド・ジョンソン社）で連続縫合している．縫合不全を起こすと子宮筋層内に血腫を形成し，術後出血や妊娠時の子宮破裂の原因にもなるため，確実で速やかな縫合操作が要求される（図14：▶動画92）．

単孔式体腔内縫合

　特殊な状況という観点から，婦人科領域の単孔式体腔内縫合を紹介する．単孔式にて縫合・結紮を行う場合，婦人科領域では持針器が骨盤内臓器に対して垂直に挿入されるため，通常よりも針の把持・運針が難しくなる．正確に運針するためには，針の角度調整やmove the groundが重要となる．ワーキングスペースが通常よりも制限され，助手のサポートもないので，糸は自分で把持してワーキングスペースを確保し，組織を牽引するようにして運針する．結紮に関しては，C-loop法は通常よりも困難となるため，thumbs up法やP-loop法（☞Chapter Ⅱ-E-3-a参照）といった工夫が必要である．補助鉗子は持

B　応用：特殊な状況における縫合・結紮

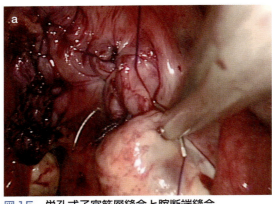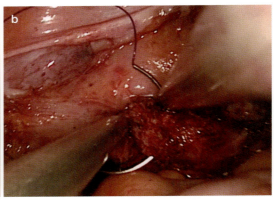

図15　単孔式子宮筋層縫合と腟断端縫合
a：単孔式による子宮筋腫核出後の筋層縫合．逆針やmove the groundを駆使して運針する．
b：単孔式による子宮摘出後の腟断端縫合．持針器，補助鉗子，スコープはほぼ平行となり，鉗子間は極端に狭い．

針器と近接し平行となるため，鉗子の基本操作（回旋，回転，ピストン運動）の理解が重要で，特にピストン運動が主体となる．

　単孔式手術というさらに制限された状況下の縫合・結紮は，基本操作の理解とhand-eye coordinationの習熟に加え，さらに工夫も必要となる．最近では実際に行う機会はほとんどなくなったが，その手技そのものは参考になると思われる（図15；▶動画93）．動画では，単孔式の子宮全摘術後の腟断端縫合も供覧する．より制限された状況下の縫合操作は，速さよりも確実性を重視する．

▍腹膜縫合

　通常筆者らは，12mmトロッカー孔の腹膜を体腔内から縫合しているので紹介する．糸は長めに体外に残しておき，腹膜を内→外，外→内と運針した後，針はトロッカー孔から回収し，結紮は体外で行う．針の把持，角度の微調整は基本的に片手で行う（図16ab）．続いて，腹壁と腸管との癒着剝離を行った結果，広範囲な腹膜欠損が生じた症例に対する体腔内腹膜縫合を供覧する（図16cd；▶動画94）．ここでも片手での針の把持・運針が必要となる．いわゆるmove the groundは使用できず，術者の運針の技術が問われる．腹壁に針の先端を当てて，片手で針の向きを180°変える操作にも注目されたい．ポートサイトヘルニアを予防するために，体腔内からの腹膜縫合はぜひとも身に着けておきたい技術である．

▍slip knotの応用

　直接slip knot法（square knotを介さず直接slip knotを作成する方法）は他項ですでに述べられているが（☞Chapter Ⅱ-E-3-b参照），婦人科領域では集簇結紮や子宮という硬い実質臓器に対する縫合が主体となることから，slip knotは多用される．直接slip knot法を知っていると重宝することも多く，筆者のコツとその実際を紹介する．

　half knotを作成した時点でlong tailを牽引し，滑らせる糸の直線化をイメージしておくことが，個人的に重要と考えている．その上でsquare knotを作成し，knotが完成する前にlong tailを直線化する（long tailを牽引する）と，knotがlong tailを滑るように自然と

2. トラブルシューティング（止血縫合など）

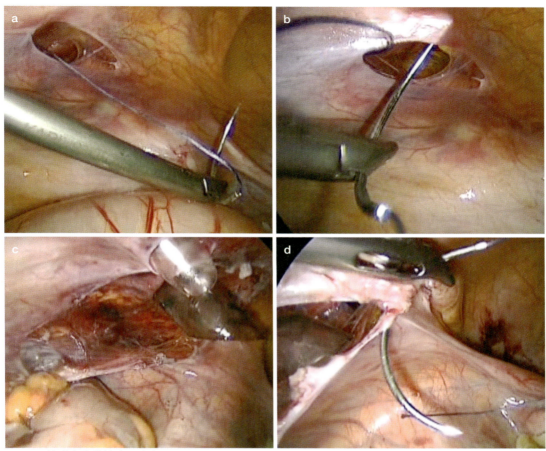

図16　体腔内腹膜縫合の実際
a：12 mmのトロッカー孔に対する体腔内腹膜縫合．
b：片手での針の把持，角度調整，運針が基本となる．
c：癒着剥離によって生じたトロッカー孔周囲の広範囲な腹膜欠損．
d：逆針や針を反転させての運針など工夫を凝らして行う．

送り込まれていく．ちなみに，通常 long tail を直線化するが，short tail を直線化する（short tail を牽引する）と，short tail でも直接 slip knot ができる．half knot を作成した時点では，short tail が直線化されていることが多く（図17b），糸を持ち替えない片手法で square knot を作成する場合，short tail の方が直線化しやすい．ただ，short tail を牽引すると「short tail が長くなってしまう」ので実臨床では現実的ではないが，知っておいて損はない．動画では long tail，short tail をそれぞれ直線化した動画を供覧する（▶動画95）．

ピットフォールを想定したトレーニング

特殊な状況における縫合・結紮を行う場合においても，まずは基本操作に習熟しておくことが何より重要である．そして基本操作に慣れた後は，ピットフォールや advanced surgery を想定しトレーニングを行うのがよい．#5-0 や #6-0 などのより細い糸でのボックストレーニングや，縫合・結紮，運針のみならず，針の把持も別途トレーニングすることをお勧めする．針の把持の得意なバリエーションを増やし，片手でも行えるようにしてお

B 応用：特殊な状況における縫合・結紮

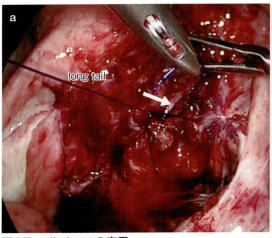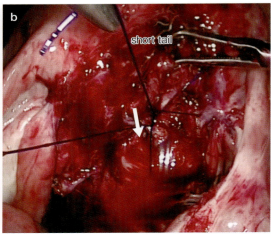

図17　slip knotの応用
a：half knot作成後のlong tailの直線化．square knotを作成する前に，滑らせる方向（矢印）の糸の直線化をイメージしておく．
b：同様にshort tailの直線化．矢印は直線化の向きを示す．

きたい．そもそも運針が難しい角度やエラーの生じやすい状況といったピットフォールを想定し，対処法をボックストレーニングで確認しておくことが望ましい．

筆者が行っているボックストレーニングの一端を動画で供覧する．針の取り回しは，強引に針を振り回すのではなく，針の重心・形状を意識し，合理的な針回しを心掛ける．慣れると針を自在に動かせるようになり，瞬時に針を回転させることも可能となる（▶動画96）．動画の最後に，縫合・結紮のタイムトライアルを挙げる．本項の趣旨とは異なるが，タイムトライアルは自身の技術の確認になり，何より刺激になるので，一度は試されたい．

困難な状況に対する解決法として，普段から技術を磨いておくことが重要なのは言うまでもないが，ポートの追加，ポート配置を変えての縫合・結紮，ときに小切開や開腹移行も想定すべきである．ピットフォールに陥った場合，安全確実を最優先とし，柔軟に解決法を見出すことが何より重要である．診療科の枠を越えて，本項が多少とも皆様のご参考になれば幸いである．

文　献
1) 内田一徳：内視鏡下縫合・結紮のコツと工夫．永井書店，2006
2) 木下敬弘ほか：腹腔鏡下胃切除におけるピットフォールと対策．外科 **69**：195-201，2014
3) 槙山和秀ほか：腎・副腎に対する後腹膜鏡下手術における腹膜損傷の検討．Jpn J Endourol ESWL **18**：231-235，2005
4) 槙山和秀：血管損傷にかかわるトラブル＆リカバリー．Uro-Lo **24**：703-705，2019
5) 槙山和秀：進行癌に対する腎摘除術．臨泌 **74**：194-197，2020

索引

欧文

B
barbed suture 糸　9
Billroth I 再建　84
Billroth II 再建　87
Blumgart 変法　116

C
C-loop　6, 45
co-axial セットアップ　5, 13, 14, 36

D
direct knot (DK) フォーセプス　132

E
enhanced-view totally extraperitoneal (eTEP) アプローチ　119
entry point　6
exit point　6
extracorporeal knot tying　4

F
fulcrum effect　13

G
granny knot　44

H
H-point　6
half knot　41
hand-eye coordination　4, 13, 22
hitch　3

I
intracorporeal knot tying　4

K
knot　2, 3

L
ligature　2
long tail　6
loop 法　60

M
move the ground　36

N
Nissen 噴門形成術　80

O
overwrap/underwrap 法　4, 43, 56

P
P-loop 法　50
para-axial セットアップ　5, 14
Petersen 孔　102

R
Roux-en-Y 胃バイパス術　105
Roux-en-Y 再建　87, 102

S
shoelace technique　120
short tail　6
side to side 吻合　94
slip knot 法　43, 53, 62
　　──の応用　127, 150
square knot　40, 44, 56
Step'n Step シート　40
stitch　2
surgeon's knot　44, 47
suture　2

T
thumbs up 法　48
tie　2
touch confirmation　13
Toupet 噴門形成術　82
transabdominal preperitoneal repair (TAPP 法)　118
transanal endoscopic microsurgery (TEM)　138
triangular formation　14

W
Web カメラ　28, 30

索引

和　文

い
胃切除後の内ヘルニアの予防　102
胃腸吻合　105
糸結び　4, 44
胃内手術　135
胃部分切除後の縫合閉鎖　98

う
運針　23, 39

お
横隔膜損傷　147

か
潰瘍穿孔に対する手術　74
片手法　3
下腹部手術のセットアップ　16
鉗子角度　17
肝胆膵手術のトラブルシューティング　142

き
キャプチャーボード　32

く
靴ひもテクニック　120

け
血管損傷修復　129
結紮　2, 40

こ
呼吸器外科手術　132

し
子宮筋腫核出術　149
止血操作　139, 142, 147
自己評価　25
持針器　5, 6, 9, 18, 38
自動縫合器　94
視野角　12
斜視鏡　12
十二指腸空腸吻合　106
手術台　17
受針器　11
消化器外科手術　74
　——トラブルシューティング　139
上腹部手術のセットアップ　15
食道空腸吻合　90
腎盂形成術　125
腎静脈損傷　131
腎切除断面の縫合　126

す
膵空腸吻合　116
スウェッジ　7
スコープ　11
スリーブバイパス術　106

せ
専用シート　40

そ
操作空間　13
鼠径ヘルニア　118

た
体外結紮法　4, 60
体腔内結紮法　4
タイムトライアル　23
胆管空腸吻合　115
胆管縫合　110, 112
単結紮法　62
単孔式手術のセットアップ　5
単孔式体腔内縫合　149
胆嚢管縫合　108, 113

ち
腸管損傷　147
腸管手縫い吻合　105
直視鏡　12
直接slip knot法　55

て
天井縫合　122

と
到達度評価　25
トレーニング　22
　——の実際　36
　——ボックス　27

な
内ヘルニアの予防　102

に
日本内視鏡外科学会(JSES)縫合・結紮手技講習会
　カリキュラム　23

の
ノットプッシャー　9

は
パームグリップ　18

154

ひ
泌尿器科手術　124
　　——トラブルシューティング　145

ふ
腹壁瘢痕ヘルニア縫合閉鎖　119
腹膜損傷　145
腹膜閉鎖・縫合　118, 150
婦人科手術　127
　　——トラブルシューティング　148
噴門形成術　77

へ
ペングリップ　18, 19

ほ
縫合　2, 44
　　——・結紮時間　26
　　——ライン　17
膀胱結腸瘻手術　136
縫合糸　8
縫合針　7
　　——把持　37
膀胱尿道吻合　125
補助鉗子　5, 11
ポート　11

ま
マルチエンドボックス　32

も
モニター　17

ゆ
有棘縫合糸　9
幽門側胃切除後再建　84

ら
ラプラタイ　143

り
リモートトレーニング　32
両手の協調操作　23
両手法　3

れ
連続縫合　36, 57

ろ
ロボット支援手術　66

わ
ワーキングスペースが狭い状況　135

内視鏡下縫合・結紮手技トレーニング[Web動画付](改訂第2版)

2016年 7 月25日　第1版第1刷発行	監修者　日本内視鏡外科学会教育委員会
2020年 5 月20日　第1版第3刷発行	編集者　黒川良望,　笠間和典,　内藤　剛
2023年12月20日　改訂第 2 版発行	発行者　小立健太
	発行所　株式会社　南　江　堂
	〒113-8410　東京都文京区本郷三丁目42番 6 号
	☎(出版) 03-3811-7198　(営業) 03-3811-7239
	ホームページ　https://www.nankodo.co.jp/
	印刷・製本　公和図書
	装丁　L&K メディカルクリエイターズ(株)

Surgical Knots and Suturing Techniques in Endoscopic Surgery, 2nd ed
© Japan Society for Endoscopic Surgery, 2023

定価はカバーに表示してあります．
落丁・乱丁の場合はお取り替えいたします．
ご意見・お問い合わせはホームページまでお寄せください．

Printed and Bound in Japan
ISBN978-4-524-20238-6

本書の無断複製を禁じます．

JCOPY 〈出版者著作権管理機構　委託出版物〉
本書の無断複製は，著作権法上での例外を除き禁じられています．複製される場合は，そのつど事前に，出版者著作権管理機構（TEL 03-5244-5088, FAX 03-5244-5089, e-mail: info@jcopy.or.jp）の許諾を得てください．

本書の複製（複写，スキャン，デジタルデータ化等）を無許諾で行う行為は，著作権法上での限られた例外（「私的使用のための複製」等）を除き禁じられています．大学，病院，企業等の内部において，業務上使用する目的で上記の行為を行うことは私的使用には該当せず違法です．また私的使用であっても，代行業者等の第三者に依頼して上記の行為を行うことは違法です．